Ingurunearen Ezagutza

HIRUGARREN HIRUHILEKOA

5

Ikasegoerak

1 — **9. OR.**

Lola, Ane, Erik eta Markos hizketan ari dira ea beste planetaren batean izaki bizidunak dauden... Nolakoak ote dira?

Zertan dira antzekoak izaki bizidun guztiak?

2 — **15. OR.**

Erikek etxean jogurtak eta ogiak egitea erabaki du, baina ogia ez zaio oso ongi atera. Nola egiten dira produktu horiek?

Zergatik ditu zuloak ogi-mamiak?

3 — **21. OR.**

Ane anaiari bizikletan ibiltzen irakasten ari da. Badirudi jadanik ondo moldatzen dela...

Nola koordinatzen dira gurezentzumenak bizikletan ibiltzen garenean?

4 — **29. OR.**

Bosgarren mailakoek esku robotikoak eraiki dituzte. Esku robotikoarekin hatzen mugimenduak imita ditzakete.

Nola mugitzen gara?

5 — **35. OR.**

Lolak oilaskoa jan nahi du, baina lehiaketaren aurretik, pastaren mantenugaiak komenigarriagoak dira.

Nola bihurtzen dira elikagaiak mantenugai?

6 — **41. OR.**

Lolaren entrenatzaileak azaldu du arnasketari esker behar dugun oxigenoa lortzen dugula, erretzeko eta energia lortzeko.

Zergatik diogu kaloriak «erre» egiten direla?

7 — **47. OR.**

Lolaren bihotz-taupadak bizkortu egin dira lasterketaren amaieran.

Zergatik behar dute muskuluek odol gehiago kirola egiten dugunean?

8 — **53. OR.**

Lehiaketa-arratsalde batean, Lola eta Miren ur asko edaten ari dira. Ez dute ulertzen zergatik, ez baitute izerdirik atera…

Zergatik behar dugu ur asko kirola egiten dugunean?

9 — **59. OR.**

Markosek ez du ulertzen zergatik ezin duen egunero gustuko janaria jan; barazkiak, aldiz, noiznahi.

Elikagai batzuk besteak baino osasungarriagoak dira?

65. OR.

ENTRENATU

11 — **121. OR.**

Udako argazkiei begira, lagunei paisaiari buruzko galdera ugari bururatu zaizkie... Eta erantzuteko hau bezain zailak!

Nola eratzen dira mendiak?

12 — **127. OR.**

«Zer egingo lukete ibaiek euririk ez balego?», galdetu die irakasleak. Anek, ordea, ez du ulertu zer esan nahi duen galdera horrek!

Nondik dator ibaietako ura?

13 — **133. OR.**

Aneren amak alabari esan dio asmatzeko ea nora joango den udan oporretan. Laguntza hauxe eman dio: ez du hotz handirik egiten, ezta bero handirik ere.

Nora joango da Aneren ama hurrengo bidaian?

14 — **141. OR.**

Eriken aita Itsaso Baltikoan izan da oporretan, eta hango argazkiak erakusten ari da semeari. Nahi gabe, beste bidaia bateko argazki bat sartu du.

Nolakoa da Europako kosta?

15 — **147. OR.**

Bosgarren mailakoak elurretara joatekoak dira, baina agian txangoa bertan behera geldituko da. Eta zu...

Nora joango zinateke neguko kirolak egitera?

16 — 155. OR.

Lolaren ahizpa zaharrena Frantziako Tourrari buruz hitz egiten ari da beti. Lolak ezin du gehiago jasan! Eta zuk, jakin nahi duzu?

Nork irabaziko du Tourra?

17 — 161. OR.

Euskal Herriko paisaiarik ederrena? Zaila da ados jartzea! Eta zure probintziako paisaia bat balitz, argi izango zenuke?

Zein da paisaiarik ederrena?

18 — 167. OR.

Lolaren osabaren bidaietako irudietan argi eta garbi ikusten da Lurreko paisaien eta izaki bizidunen aniztasuna.

Non dago espezieen aniztasunik handiena?

19 — 173. OR.

Markosek perretxiko pozoitsu bat aurkitu du. Ez da zaila perretxikoak aurkitzea, baina batzuek oso kolore deigarriak dituzte…

Perretxiko pozoitsuak errazago ikusten dira?

179. OR.

ENTRENATU

21 — 245. OR.

Gaur, eskolako lehen laguntzako ikastaroan, Erikek zorabiatu eta konorterik gabe geratu izanaren itxurak egin ditu.

Zer egingo zenuke norbaitek konortea galduko balu?

22 — 251. OR.

Markos ilunabarrari buruzko olerki bat inprobisatzen ari da, baina Anek gogorarazi dio eguzkia «ez dela ez ateratzen ez sartzen». Beraz...

Non egoten da eguzkia gauez?

23 — 259. OR.

Markosek argazkiak atera dizkio Ilargiari, hileko zenbait egunetan. Emaitzak ikusita, hauxe pentsatu du…

Zergatik ez dugu ilargia beti berdin ikusten?

24 — 265. OR.

Gero eta gehiago hitz egiten da klima-aldaketari buruz, baina badakizu zer esan nahi duen? Zergatik ari da hori gertatzen?

Zer egin dezakezu planetaren alde?

25 — 273. OR.

Kalean, nabarmendu izan diren emakumeak omentzen ari dira. Eta Lolak eta Anek ere historia egingo dute etorkizunean, haiek bezala?

Zerekin egiten da historia?

26 — 279. OR.

Lola bi argazki alderatzen ari da: haren lehengusuen etxe berriarena eta behin bisitatu zuen Erdi Aroko gaztelu batena. Hartan, pentsatu du...

Nolakoa zen gazteluen garaia?

27 — 285. OR.

Gure lagunak Erdi Aroko gaztelu bat ikustera joan dira, eta gidari batek dena azaldu die gazteluei eta Erdi Aroari buruz. Eta zu…

Ausartuko zinateke gidari-lanak egiten zure udalerriko Erdi Aroari buruz?

28 — 293. OR.

Gaur patata-tortilla dago bazkaltzeko, eta denak pozez zoratzen daude. Bat-batean, galdera hau otu zaie:

Noiztik jaten dugu patata-tortilla?

29 — 301. OR.

Gure lagunak piraten itsasontzi baten argazkiari begira daude, baina...

Piratak benetan existitu ziren?

307. OR.

ENTRENATU

Aurkibidea
Hirugarren hiruhilekoa

21

Hauxe ikasiko duzu:

- Jokabide arduratsuak eta osasungarriak identifikatzen eta horiek arrazoitzen.
- Larrialdi-egoerak antzematen.
- Larrialdi-egoeretan egin beharrekoa praktikatzen.

Gaur erizain bat etorri da eskolara, eta lehen laguntza emateko ekintza batzuk azaldu dizkigu. Horretarako, Erikek zorabiatu egin dela eta korderik gabe dagoela antzeztu du.

Zer egingo zenuke norbaitek konortea galduko balu?

▶ **Badakizu zer den lehen laguntza?**

1 Demagun pertsona bat korderik gabe dagoela eta lagundu egin behar diozuela. Ordenatu ekintza hauek egokiena iruditzen zaizuen hurrenkeran:

- Zergatik zorabiatu den jakitea.
- Biktimaren ingurua babestea.
- Biktima nola dagoen aztertzea.
- Oihu egitea, lagundu diezagukeen norbait egon daitekeelako inguruan.
- Biktima sendatzen saiatzea.
- Larrialdietara deitzeko telefono bat bilatzea.

Larrialdi-egoerak **berehalako esku hartzea** eskatzen duten gertaera larriak dira. Horregatik, garrantzitsua da jakitea **nola jokatu** eraginkortasunez; baina, batez ere, komeni da jakitea zer egin behar den horrelakorik ez gertatzeko, hau da, arriskuak **prebenitzeko.**

Prebentzioa eta lehen laguntza / Lehen laguntza

Larrialdietan nola jokatu behar den ikasi

2 BAL siglak larrialdietan nola jokatu behar dugun gogoratzen laguntzen digu:

1 **B**ABESTU 2 **A**BISATU 3 **L**AGUNDU

Pertsona bat korderik gabe dago gas-ihes baten ondorioz.

- Nola jokatu behar genuke horrelako egoeretan? Ordenatu irudiak, eta azaldu zer egin behar duzuen.

a

b

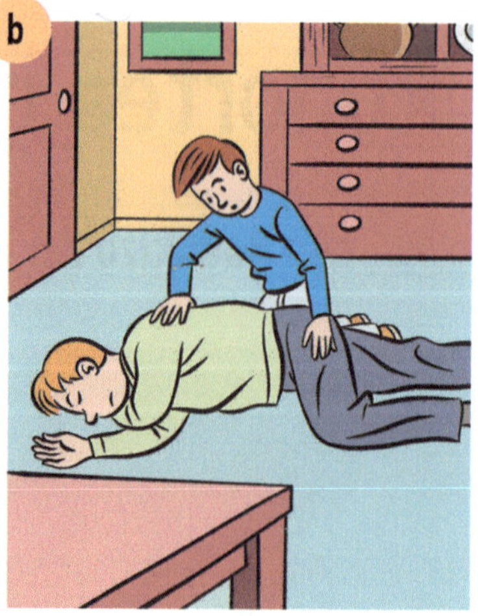

c

Errepidea gurutzatu aurretik bi aldeetara gutxienez bi aldiz begiratzeko esaten didate beti etxean!

Geure burua babesteko moduez hitz egin

3 **Gure burua babesteko modurik onena larrialdiak ez gertatzeko zer egin behar den jakitea da.** Irudi-pare bakoitzean, zein da ekintza egokia istripua gertatzeko arriskua gutxitzeko?

1

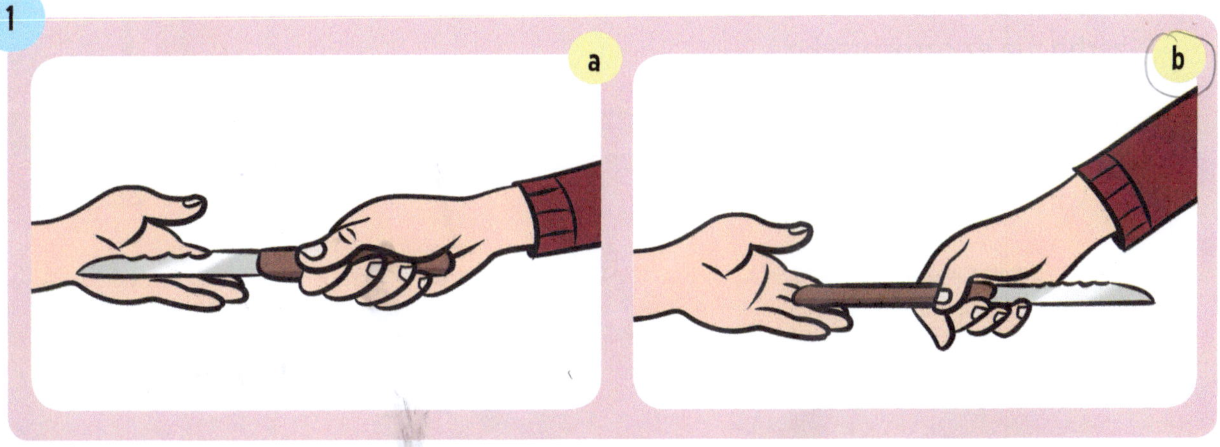

2

3

Talde handian, hitz egin irudietako egoerei buruz.

- Azaldu zer beste neurri hartzen dituzuen etxean edo eskolan istripurik ez izateko.

Sute batean zaurituak badaude, nori deitu behar zaio lehenengo, suhiltzaileei ala anbulantziari?

112aren garrantziaz ohartu

4 112 telefono-zenbakiak larrialdi guztiak jasotzen ditu, eta anbulantziei, suhiltzaileei eta poliziari deitzeaz arduratzen da. Baina zenbaki hori benetan behar denean soilik erabili behar da, zerbitzua ez oztopatzeko.

- Aztertu egoera hauek, eta erabaki 112ra deitu behar den ala ez. Zuen ustez ez bada beharrezkoa deitzea, zer egingo duzue egoera konpontzeko?

Baloia zuhaitz batean trabatuta geratu da.

Lagun bat erori egin da parkean, eta belauna urratu du.

Pertsona batek kordea galdu du, eta ez du erantzuten.

- Zuen iritziz, zergatik da garrantzitsua larrialdietarako telefonoa behar denean soilik erabiltzea? Zer gertatuko da benetan laguntza premiazkoa eta espezializatua behar ez duten egoerengatik deitzen badugu?

5 **Diseinatu publizitate-kanpaina baterako kartel bat, 112 telefono-zenbakia erabil daitekeen egoeraren baten berri emateko herritarrei.**

Gogoratu 112 zenbakia edozein larrialdi-mota jakinarazteko erabil dezakegula, hala nola:

- Osasun-larrialdiak
- Suhiltzaileentzako abisua
- Poliziarentzako abisua
- Errepideetako gorabeherak

Egin ahozko aurkezpen labur bat, sortu duzun kartela ikaskideei aurkezteko.

Eta igogailuan itxita geratzen banaiz, deitu dezaket 112ra?

Lehen laguntza ematen ikasi

Larrialdi-zerbitzuei deitu ostean, biktimari laguntzeko zenbait ekintza egin ditzakegu: **lehen laguntzako** ekintzak. Esate baterako, norbait korderik gabe badago baina arnasa hartzen badu, **alboko segurtasun-posizioan (ASP)** jarri behar da.

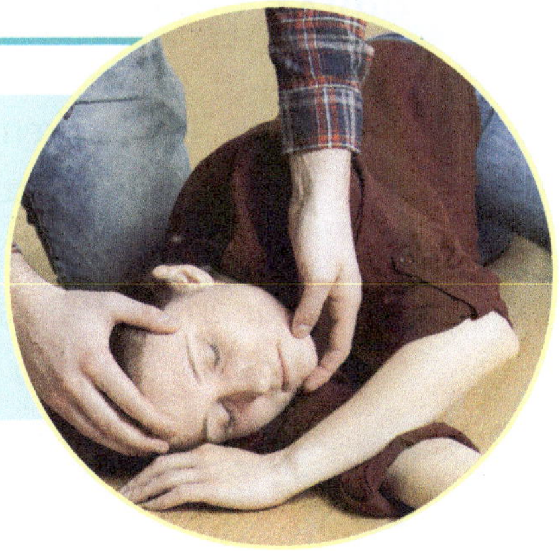

6 Bilatu ASPari buruzko informazioa.

Grabatu posizio horri buruzko bideo bat. Pentsatu egingo duzuenaren gidoi labur bat eta adierazi marrazkien edo testuen bidez. Zuen bideoak honako lau urrats hauek bildu eta azaldu behar ditu gutxienez:

GOGORATU: mugikorra edo tableta erabiltzen baduzue bideoa grabatzeko, hobe da horizontalean grabatzea.

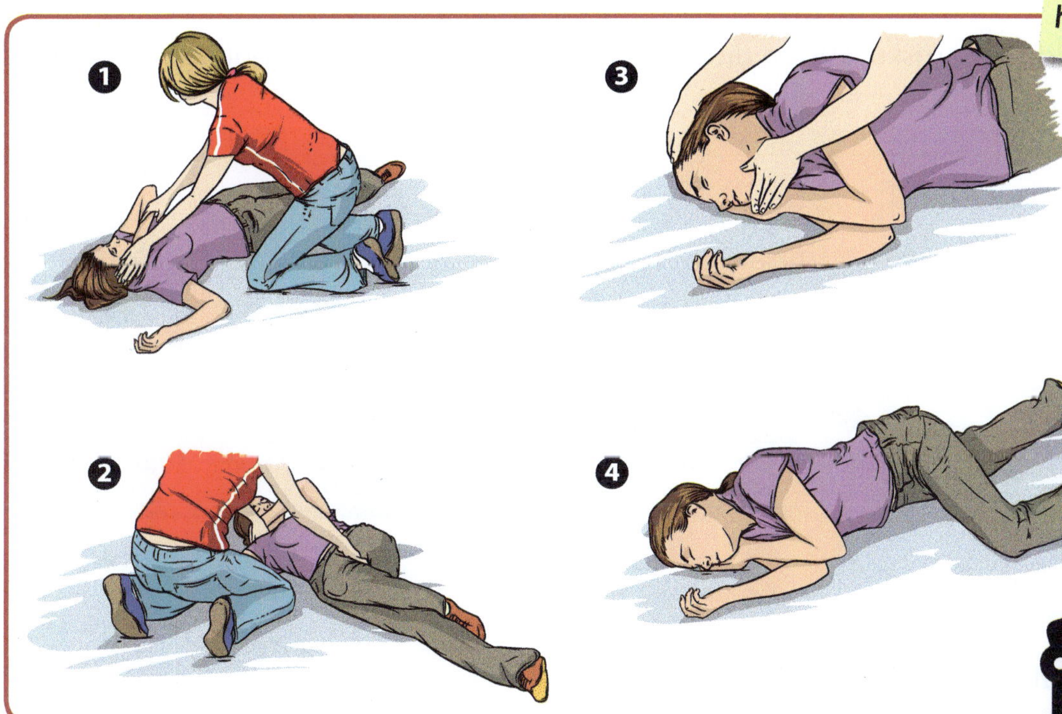

7 Talde handian, bildu dokumentu batean ohiko istripuetan nola jokatu behar den azaltzeko jarraibideak. Ohiko istripuak dira, adibidez:

- Kolpeak gorputz-adarretan
- Bihurrituak
- Urradurak edo zauriak
- Sudurreko odoljarioa
- Intsektuen ziztadak
- Intsolazioa

- Informazio horrekin guztiarekin, osatu lehen laguntzari buruzko gidaliburu erraz bat ikasgelarako.

Hauxe ikasi dut

8 Demagun Eriken eskolara hitzaldia ematera joan den erizainak zu aukeratu zaituela Eriki lehen laguntza emateko. Imajinatu Erik korderik gabe dagoela jolas-orduan buruan kolpe handi bat eman diotelako baloiarekin. Azaldu zer egingo zenukeen Eriki laguntzeko.

- Zer hiru urrats egingo zenituzke? Gogoratu BAL sigla.
- Nola babestuko zenuke eremua, ezer gehiago ez gertatzeko?
- Nori abisatuko zenioke? Nola?
- Zerbait egingo zenuke Eriki laguntzeko? Zehaztu zer eta nola.
- Lehen laguntzari buruzko hitzaldiak eta ikastaroak erabilgarriak iruditzen zaizkizu? Zergatik?

9 Azaldu zer arrisku ikusten dituzun irudietan eta zer egingo zenukeen istripurik ez gertatzeko.

a

b

Ea zenbat dakizun

Amaitzeko, hausnartu

- **Zer gehiago ikasi nahi zenuke larrialdiei eta lehen laguntzari buruz?**
- **Ikasegoera hau baliagarria iruditu zaizu?**
- **Zer moduz moldatu zara bideoa taldean sortzen? Ongi egin duzu lan? Zure ustez, zer hobetu dezakezu hurrengorako?**

22

Hauxe ikasiko duzu:

- Lurraren mugimenduek eragiten dituzten aldaketak deskribatzen eta irudikatzen.
- Eguzki-sistemako astroak konparatzen eta bereizten.
- Unibertsoa behatzen eta Esne Bidea identifikatzen.

Nork du arrazoi? Eguzkia badoa? Zer esango lukete zientzialariek?

Non egoten da eguzkia gauez?

- **Eguzkiaren argia, zergatik da biziagoa batzuetan?**
- **Munduko leku guztietan, berdin berotzen du eguzkiak?**

Lurra nola mugitzen den ezagutu: errotazioa

1 Guri iruditu ez arren, Lurra higitzen ari da etengabe.

- Azpiko kasuetan, gaua ala eguna da gure inguruan?

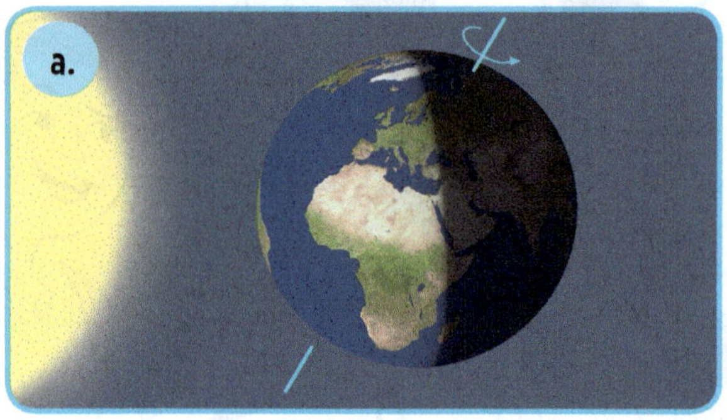

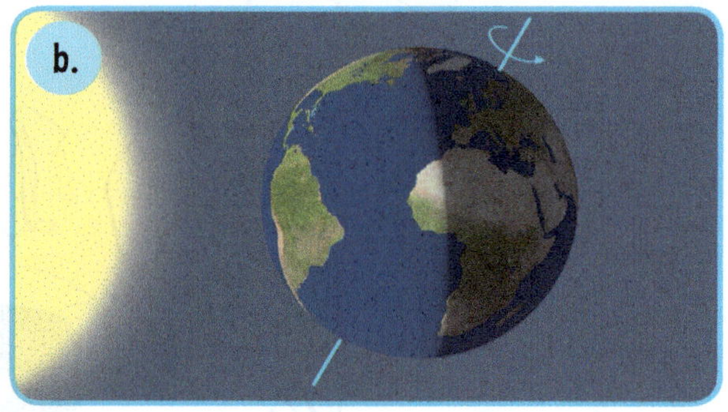

- Zer gertatu da? Eguzkia mugitzen da ala gu geu gara mugitzen garenak?
- Nola jakin dezakegu gaua ala eguna den leku jakin batean?
- Lurraren zati batean argi dagoen bitartean, beste zati batean iluntasuna da nagusi. Zer mugimenduk eragiten du desberdintasun hori?

2 Ikertu adierazpen hauek eta erantzun:

gauerdiko eguzkia | gau zuria | gau polarra

- Lurraren zer mugimenduk sortzen ditu fenomeno horiek?
- Munduko zer lekutan gertatzen dira? Noiz?
- Zer eragin sortzen dute pertsonengan?

3 Ziba (Lurra) eta linterna (Eguzkia) baten bidez, irudika ezazue Lurraren errotazio-mugimendua. Marraztu esperientzia.

Lurraren errotazio-higidura nolakoa den ulertzeko, begira nola mugitzen den ziba.

Lurrak birak egiten ditu bere irudizko ardatzaren inguruan: **errotazio-ardatza**. Horixe da errotazio-higidura, hain zuzen. Lurraren errotazio-ardatza lerro bat da, eta planeta zeharkatzen du Ipar polotik Hego poloraino. Bertikalarekin alderatuta, apur bat inklinatuta dago ardatza.

Lur planeta / Lurraren higidurak

Lurra nola mugitzen den jakin: translazioa

4 Hausnartu translazio-higidurari buruz eta erantzun galderei.

- Egunak eta gauak zergatik ez dute berdin irauten urte osoan zehar?
- Berdin irauten dute gauek eta egunek planetako leku guztietan? Zergatik?
- Zergatik berotzen du gehiago Eguzkiak garai batzuetan bestetan baino?
- Zer gertatzen da Lurraren ekuatorean?
- Kopiatu translazioaren eskema hau, eta osatu Lurraren mugimendu horrek dituen ondorioak:

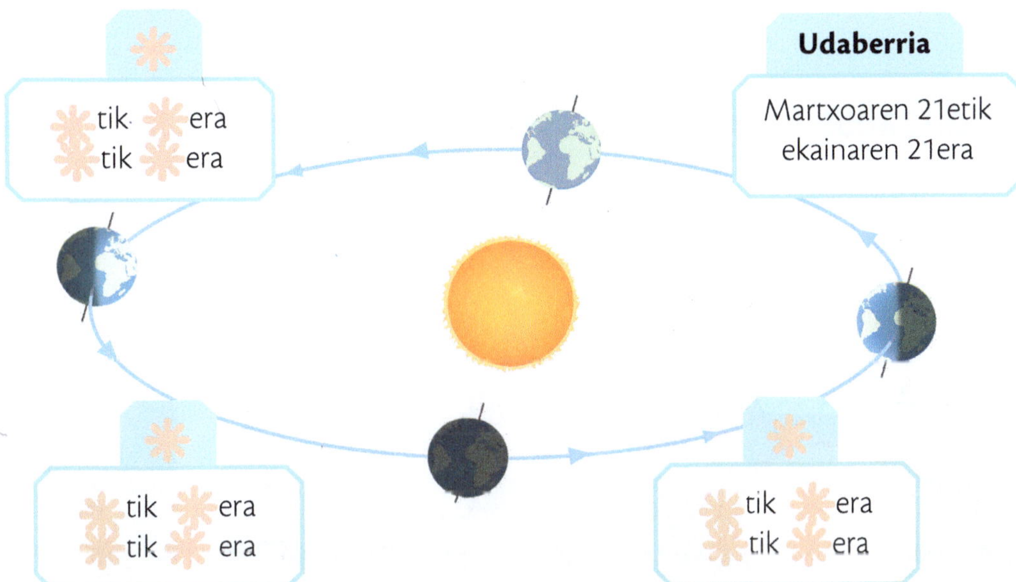

Lurraren * -higidura planetak Eguzkiaren inguruan egiten duen ibilbidea da. Bira osoa emateko * egun behar ditu, hau da, *.

5 **Antzeztu Lurraren translazio-higidura porexpanezko bola bat, hegaxka bat eta linterna bat erabilita. Ea zer-nolako fenomenoa gertatzen den.**

Urteko egun guztiak ez dira berdinak: badira luzeagoak eta motzagoak, beroagoak eta hotzagoak. Zergatik? Bada, Lurrak ez duelako bere buruaren inguruan soilik bira ematen: **Eguzkiaren inguruan** ere biraka aritzen da **translazio-higidurari** esker.

Ibilbide horrek, **365 egun** (urtebete) irauten duenak, **urtaroen segida** eragiten du.

Lur planeta / Lurraren higidurak

6 Erantzun eta eztabaidatu denon artean.

- Urtaroak aldi berean igarotzen dira planeta osoan zehar? Zergatik?
- Nola du izena Lurra bi zatitan banatzen duen irudizko lerroak? Eta nola dute izena bi zati horiek?
- Zerk eragiten du ipar hemisferioan negua den bitartean hego hemisferioan uda izatea?

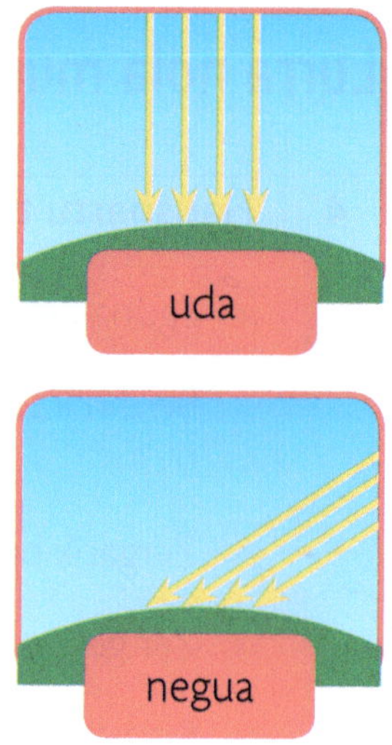

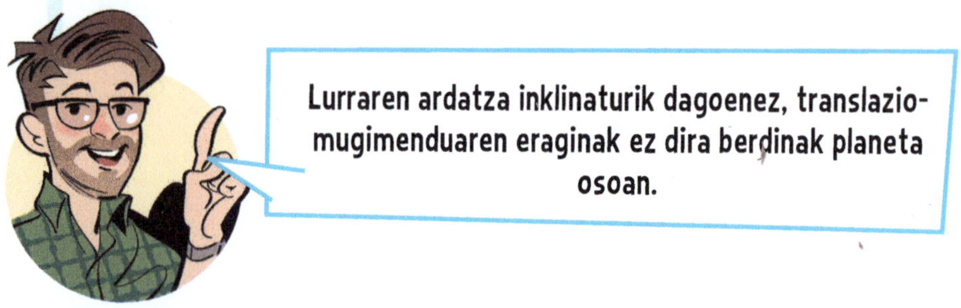

Begira ditzagun unibertsoko astroak

7 Lurra planeta bat da, baina badaude beste astro ugari...

- Zer motatako astroak dira?

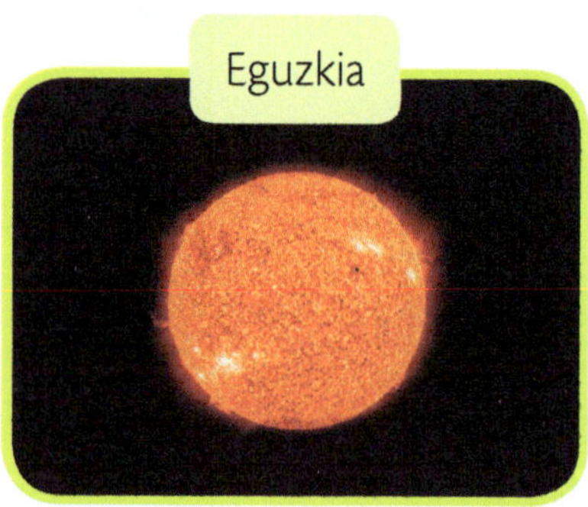

— Ikertu hiru astro horiek eta osatu beren ezaugarriren bat emanez.

- Izar izeneko astroak...
- Planeta izeneko astroak...
- Satelite izeneko astroak...

Astroak edo **zeruko gorputzak** forma mugatua du, eta modu jakin batean mugitzen da unibertsoan barrena. Lurra, Eguzkia eta Ilargia **eguzki-sistemaren** parte dira.

Lur planeta / Lurra eta eguzki-sistema

Eguzki-sisteman arreta jarri

8 Eguzki-sistemaren barruan dago Lurra. Zer beste planeta daude sistema horretan? Adierazi zein diren marrazkian.

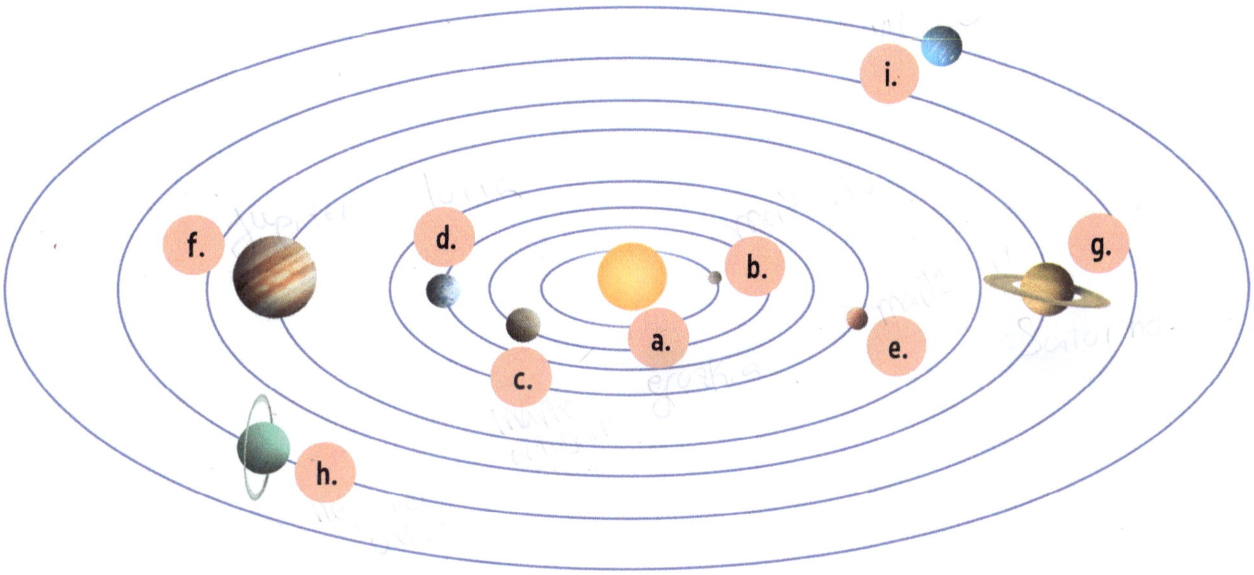

- Begiratu batean: Lurrarekin konparatuta, Merkurioren gainazaleko tenperatura altuagoa ala baxuagoa izango da? Eta Jupiterrekoa? Zergatik uste duzue hori?

9 Ikertu Interneten eguzki-sistemako planetak, eta idatzi bakoitzaren bi ezaugarri gutxienez. Jarraian, aipatu ezaugarri horiek gela osoari.

Eguzki-sistema izeneko planeta-sistemaren parte da Lurra. Sistema horretan, Eguzkiaz gain, bere inguruan biratzen duten zortzi planeta eta zenbait satelite dauzkagu. Hona hemen planeta horiek: **Merkurio, Artizarra, Lurra, Marte, Jupiter, Saturno, Urano** eta **Neptuno.**

Lur planeta / Lurra eta eguzki-sistema

10 Eguzkia, nahiz eta Lurretik gertuen dagoen izarra izan, 150.000.000 km-ra dago!

- Eguzkira joango bagina hegazkin baten abiaduran (150 km/h), zenbat ordu beharko genuke hara iristeko?
- Baina, hara heltzea posible izango dela uste duzue? Zergatik?
- Eguzkia da unibertsoko izarrik handiena ala gugandik hurbil dagoelako ikusten dugun hain handi?

11 Ikertu eguzki-sistemako planeten ezaugarri hauek:

Planeta	Batez besteko tenperatura	Badu urik?	Badu atmosferarik?
 Merkurio			
 Artizarra			

Erabili horrelako taula bat

- Zergatik dago bizia Lurrean?
- Azaldu zergatik ez dagoen bizirik, guk dakigula behintzat, eguzki-sistemako gainerako planetetan.
- Zer planetak du tenperaturarik altuena? Eta haietako zeinek du tenperaturarik baxuena?
- Zer materialez eratuta daude Saturnoren eraztunak? Ikertu zenbat eraztun dituen planeta horrek.
- Eguzki-sistemako planeten artetik, zeintzuk dute sateliteren bat? Zeintzuk bat baino gehiago?

Eguzkia da Lurretik gertuen dagoen izarra. Hark emititzen duen argiari eta beroari esker daukagu bizia gure planetan.

Lur planeta / Lurra eta eguzki-sistema solar

Unibertsoari buruz gehiago ikasi

12 **Lurreko hondar-aleak baino gehiago dira unibertsoko astroak!**

- Zein astrori buruz ari dira hizketan albiste hauetako bakoitzean?

2021/08/10

Harkaitzaren abiadura 65.000 km/h da. Ondorioz, gori-gori jarri eta aparteko argi-fenomenoa eragin zuen.

2022/02/10

AUTOBUSA BAINO HANDIAGOA

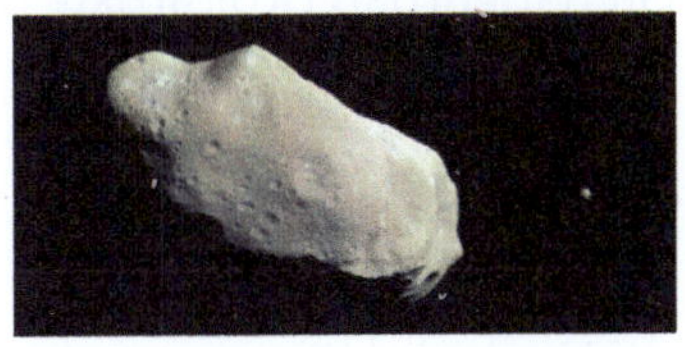

Hain harkaitz espazial handiak gutxitan igarotzen dira Lur planetatik gertu.

Noiz itzuliko da Halley?

2021/05/3

Adituen ustez, 2062an ikusiko dugu Halley gaueko zeruan. Eguzkiaren inguruan orbitatzen du 75-76 urtero.

- Ikertu nolakoak diren astro hauek eta lotu:

asteroideak | meteoritoak | kometak

1. Gasezko eta izotzezko nukleoa dute.
2. Eguzkira gerturatzen direnean, buztan luzea agertzen zaie izotza urtzearen poderioz.
3. Haietako gehienak Marte eta Jupiterren orbitan kokatuta daude.
4. Materia-zatiak dira, espazioan barrena mugitzen direnak.
5. Lurreko atmosferarekin talka egitean, piztu eta izar iheskor bat osatzen dute.
6. Planetak baino txikiagoak dira.

13 **Elkarren artean oso gertu dauden izarrek eta planetek galaxiak osatzen dituzte. Eta milioika daude unibertsoan. Gurea da... Adi pistei!**

- Lehen hitza edari zuri baten izena da, eta lau hizki ditu.

  Bigarren hitza kamio hitzaren sinonimoa da, eta bost hizki ditu.

Izarren, planeten eta sateliteen taldeari esaten diogu **galaxia**. Beste astro batzuk ere sartzen ditugu galaxiaren barruan, esaterako, **kometak, asteroideak** eta **meteoritoak.**

Lur planeta / Lurra eta eguzki-sistema

Hauxe ikasi dut

14 Unibertsoan barrena ibili eta gero, ziur galdera hau erantzun dezakezuela: non egoten da eguzkia gauean zehar eta zergatik ez dugu ikusten?

- Zer gertatuko litzateke Lurrak ez balu bere buruaren gain bira egingo, hau da, errotazio-higidurarik ez balitz?
- Eta Lurrak ez balu Eguzkiaren inguruan orbitatuko, hau da, translazio-higidurarik ez balitz?

15 Defendatu baieztapen hau:

«Lurraren baldintzak aproposak dira bizia garatu ahal izateko».

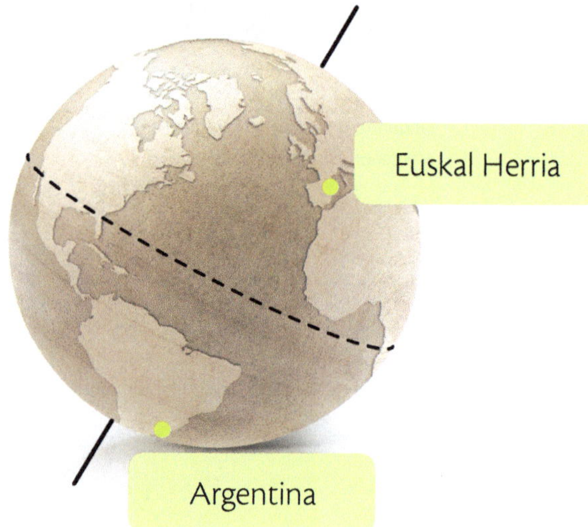

16 Gure inguruan, Gabonak neguan ospatzen dira; Argentinan, aldiz, uda betean. Nola liteke? Azaldu hitzen bidez edo marrazki baten bidez.

Ea zenbat dakizun

Amaitzeko, hausnartu

- **Ikasi duzuna kontuan hartuta, zer iruditu zaizu interesgarriena?**
- **Gustatu zaizu taldean aritzea? Nola lagundu dizute taldekideek? Eta zeuk, zer ekarpen egin diezu?**

23

Hauxe ikasiko duzu:

- Ilargiaren faseak identifikatzen.
- Ilargia Lurraren satelitea dela jakiten eta bere mugimenduak irudikatzen
- Ilargiaren mugimenduak eragiten dituen hainbat fenomeno ulertzen.
- Lasterketa espazialeko inbertsioak baloratzen.

Markosek, hileko zenbait egunetan, argazkia atera dio ilargiari...

Zergatik ez dugu ilargia beti berdin ikusten?

- Zer dira puska ilun horiek?
- Zergatik ez dugu ikusten egun batzuetan?

Ilargiari begiratu

1 Dagoeneko badakizue Ilargia Lurraren satelitea dela, eta, ondorioz, haren inguruan biraka dabilela. Prest zaudete Ilargia irudikatzeko eta grabatzeko?

1. Osatu hiru edo lau kideko taldeak.
2. Taldeko bikote batek Ilargia eta Lurra irudikatuko ditu.
3. Beste bikoteak bideoan grabatuko du simulazioa.
4. Ilargiarena egiten duen pertsonak Lurrarena egiten duenaren inguruan egin behar du bira. Beti Lurrari begira mugitu behar du, eta bira osoa eman arte ez dio mugitzeari utzi behar.

Ariketa ongi egiteko, hauxe jakin behar duzue:
- Satelite bat zer den eta zer egiten duen.
- Nola mugitzen diren Lurra eta Ilargia, eta zenbat irauten duten mugimenduek. Egin al liteke denbora errealean?

Ariketatik abiatuta, esan zergatik aipatzen den «Ilargiaren aurpegi ezkutua». Adi Lurra irudikatzen duen haurrari: osorik ikusten du hark Ilargia irudikatzen duen neska-mutila?

- Zenbat denbora behar du Ilargiak Lurrari bira osoa emateko?
  ___ egun, ___ ordu, ___ minutu
- Eta zenbat denbora behar du bere buruaren gain bira emateko?
  ___ egun, ___ ordu, ___ minutu

Lurrak bezala, Ilargiak ere **bere buruaren gain bira** ematen du Lurraren inguruan ari den bitartean. Beti aurpegi berbera erakusten du. Horregatik deitzen diogu alde ezkutua, sekula ikusten ez dugulako.

Lur planeta / Ilargia, Lurraren satelitea

2 Zer gehiago dakizue sateliteei buruz? Osatu horrelako taula bat, eta jakingo duzue zertan diren berdintsuak sateliteak eta unibertsoko beste zenbait gorputz.

Zeruko gorputza	Ezaugarriak		Adibidea
	Berezko argia du	Mugitzen da	
izarra			
planeta			Lurra
satelitea		bai	

Erabili horrelako taula bat.

- Satelite batek berezko argia du? Eta Ilargiak? Nondik dator Ilargiaren argia?

Zer gertatuko litzateke linterna bideratuko bagenu bizikleta baten atzeko errefletorerantz? Eta linterna itzaliko bagenu?

Ilargiaren faseak bereizi

3 Dagoeneko badakizue Ilargiak bi mugimendu dituela.

- Beti berdina da Eguzkiak argiztatzen duen ilargiaren gainazala? Ea ba...

Ilberria | Ilgora | Ilbetea | Ilbehera

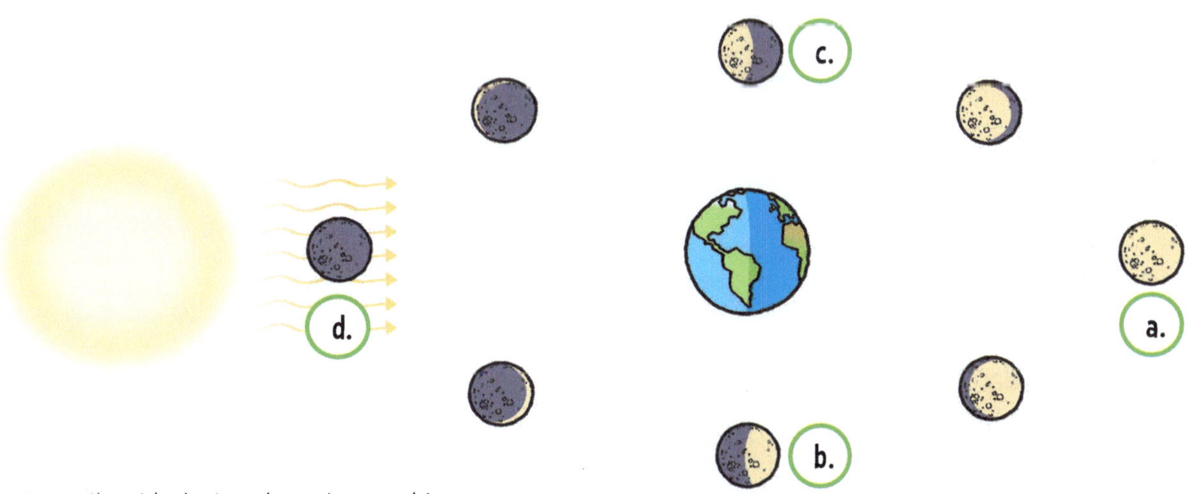

- Lotu ilargi bakoitza bere izenarekin.

Ilargiaren itxuran gertatzen diren aldaketei **ilargi-faseak** esaten diegu. **Ilargia** da Lurraren satelite natural bakarra. **Errotazio-mugimendua** gauzatzen du bere buruaren gain, eta **translazio-mugimendua** Lurraren inguruan.

Lur planeta / Ilargia, Lurraren satelitea

Eklipse bat nola gertatzen den jakin

4 Ilargia mugitzen ari da, baita Lurra ere. Zenbait astrok beste hainbat estaltzen dituzte...

- Zuen ustez, zer irudikatzen dute argazki hauek?

Eguzkia partzialki estalita | Eguzkia erabat estalita | Ilargia partzialki estalita

5 Ikusi nola dauden kokatuta astroak aurreko eklipseen irudietan, eta deskribatu:

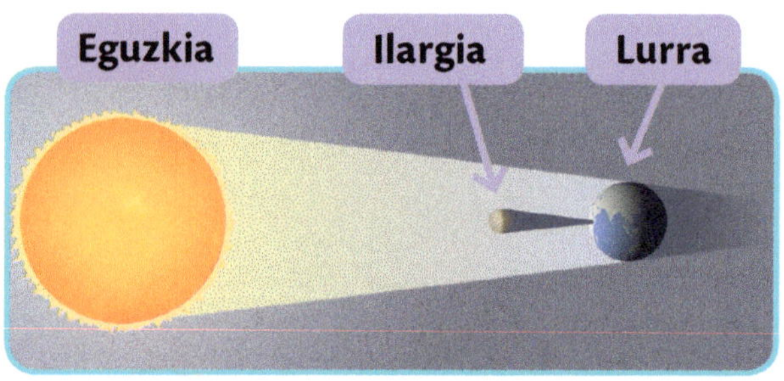

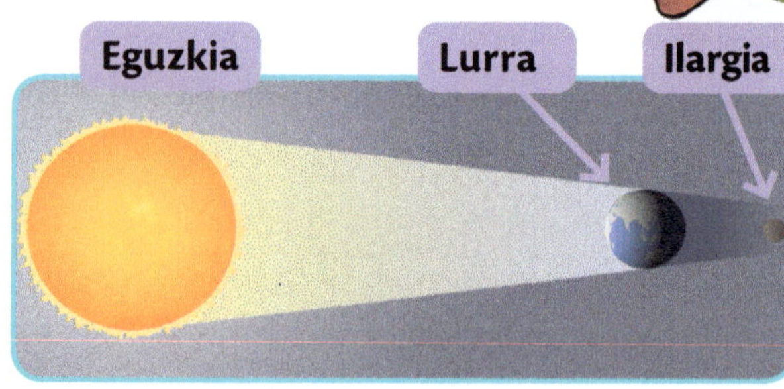

6 Bilatu mareei buruzko informazioa.

- Zerk eragiten ditu?
- Zer gertatzen da mareekin ozeano handien itsasertzetan?

7 Izango da eklipserik laster? Ikertu Interneten hori jakiteko.

- Datorren eklipsea izango da...
- Azaldu Ilberriaren eta Ilargi-eklipsearen arteko desberdintasuna.
- Ikertu zer behar den eklipsea behatzeko eta idatzi hiru aholku.

Lurra eta Ilargia etengabe ari dira mugitzen Eguzkiaren inguruan. Batzuetan, hiru astroak lerroan jarri eta batak Eguzkiaren argia estaltzen dio besteari. Horixe da **eklipsea**. **Eguzki**-eklipseak ala **ilargi**-eklipseak izan daitezke**.**

Lur planeta / Ilargia, Lurraren satelitea

Ilargira nola iritsi ginen jakin

8 Ilargia zapaldu arte, lasterketa espazial luzea jarri zen martxan lehenengo iritsi nahi zutenen artean. Ikertu eta ezagutu lasterketaren protagonistak.

1. *Apolo 11* ontziko astronauta, Ilargia lehen aldiz zapaldu zuena.
2. Lurra orbitatu zuen lehen bizidunaren (guau!) izena.
3. *Apolo 11* ontziko beste astronauta bat, Ilargia bigarrenez zapaldu zuena.
4. Espaziora bidaiatu zuen lehen emakumea.
5. *Apolo 11* ontziko beste astronauta bat, Ilargiaren inguruan biraka geratu zena.
6. Espaziora bidaiatu zuen lehen gizona.

- Kopiatu denbora-lerro hau, eta ordenatu bertan lasterketa espazialaren goiko gertakizunak.

9 Bikoteka, erabaki zer esploratu nahi duzuen espazioan.

- Arrazoitu zergatik egin nahi duzuen esplorazio hori.
- Aipatu gainerako ikaskideei.
- Bozkatu gehien gustatzen zaizkizuen esplorazioak.

10 Hausnartu eta komentatu ikasgelan.

- Zergatik nahi dute herrialdeek lehenak izan lasterketa espazialean?
- Herrialde batzuek diru asko gastatzen dute abentura horretan. Zer iruditzen zaizue hori?

Hauxe ikasi dut

11 Orain prest zaudete hasierako galderari erantzuteko. Diseinatu Ilargiari buruzko posterra.

1. Bilatu **izenburu** bat.
2. Zati bat gorde gai hau lantzeko: **Ilargia satelite gisa.**
3. Egin eskema bat **Ilargiaren mugimenduei** buruz.
4. Erantzun galdera zuen hitzak erabilita: ***Zergatik ez dugu Ilargia beti berdin ikusten?***
5. Erantzun galdera zuen hitzak erabilita: ***Zer dira puska ilun horiek?***
6. Aberastu azalpenak **marrazkien** eta **argazkien** bidez.
7. Kontuan izan **alderdi formalak:** tipografiak, koloreak, gorputzak, informazioen egitura…
8. **Azaldu** posterrak gelan.

12 Unitate hau gogoan izateko, egizue Ilargi bat zuen kabuz.

Materialak:

- buztin zuria, airean lehortzen dena
- harri txiki desberdinak

Langintza:

- **a.** Egizue bola bat buztin zuriarekin.
- **b.** Lehortu aurretik, sartu harritxoak Ilargiaren hainbat lekutan: meteoritoak izango dira.
- **c.** Kendu harriak marka gera dadin.

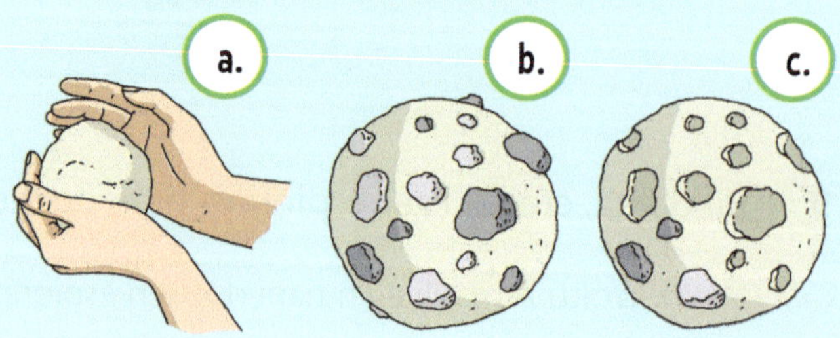

Ea zenbat dakizun

Amaitzeko, hausnartu

- **Nola aritu zara ikasegoera honetan zehar?**
- **Zer izan da Ilargiari buruzko gauzarik interesgarriena?**

24

Hauxe ikasiko duzu:

- Ingurunetik lortzen ditugun baliabideak identifikatzen.
- Giza ekintza batzuek ingurunean eta kliman dituzten eraginak sailkatzen, eta haien ondorioak ulertzen.
- Ingurunea zaintzeko jarduten, eta hura gordetzeko aktiboki parte hartzen.

Zer egin dezakezu planetaren alde?

Komunikabideetan, gero eta gehiago entzuten da klima-aldaketari buruz hitz egiten. Ba dakizu zertaz ari diren zehazki? Zergatik ari da gertatzen?

Klima-aldaketaren arrazoiak eta alternatibak deskubritu

1 Anek klima-aldaketari buruzko erreportaje bat ikusi du, eta irakasleari galdetu dio ea horretaz hitz egin dezaketen ikasgelan.

- Erreportajean, klima-aldaketaren arrazoiei eta ditugun alternatibei buruz hitz egiten zuten. Lotu arrazoi bakoitza dagokion alternatibarekin, eta idatzi esaldi bat, biak erabiliz.

a.

b.

c.

d.

e.

f.

- Orain, ikertu eta erantzun galderei. Interneten bilatu dezakezu informazioa:

— Zer ondorio izan ditzake klima-aldaketak?

— Ezagutzen dituzun arrazoiez gain, zer beste arrazoik eragiten dute?

- Norena da ingurumena zaintzeko erantzukizuna? Arrazoitu erantzuna.

guztiok

helduak

gobernuak

2 Ikusi klima-aldaketari buruzko Nazio Batuen webgunea. Zer materialek eman dizue atentzioa? Azaldu ikasgelan.

Ingurunetik lortzen ditugun baliabideak ezagutu

3 Naturatik lortzea eta naturaren aurka sortzea... Negozio txarra da! Idatzi laukiko hitzak, izartxoen ordez.

uretan - kutsadura - herrien arteko desberdintasunak - energia
lehengaiak - baliabideak - gehiegizko ustiapena - lurzoruan

Pertsonak eta ingurunea / Baliabideak lortzea eta banatzea

Pertsonak eta ingurunea / Baliabideen erabilera eta kutsadura

4 Ura ezinbesteko baliabidea da bizitzarako. Kalkulatu zenbat ur kontsumitzen duzuen etxean, eta esan zertarako erabiltzen duzuen. Erreparatu datuei:

- Gure herrialdean, uraren kontsumoa pertsonako eta eguneko 132 l da, batez beste. Gehiago edo gutxiago kontsumitzen duzu?

Platerak garbitzea: 100 l
Jatekoa prestatzea: 8 l
Autoa garbitzea: 500 l
Zisterna erabiltzea: 10 l
Ontzi-garbigailua jartzea: 50 l
Garbigailua jartzea: 100 l
Eskuak edo hortzak garbitzea: 30 l
Edatea: 1,5 l
Dutxatzea (5 minutu): 100 l

5 Nola egin dezakezue gauza bera ur gutxiago kontsumituz? Egin dekalogo bat, eta zintzilikatu ikasgelan.

6 Eta energia garrantzitsua al da? Funtzionatuko al lukete gailuek energiarik ez balego?

- Jarduera batzuk ezingo lirateke egin energia elektrikorik gabe eta erregairik gabe, eta zenbait erosotasun ez genituzke izango. Sailkatu hurrengo ekintzak, alde batera utz ditzakegun edo ez kontuan hartuta.

- Jatekoa prestatzea
- Etxea berotzea
- Igogailua erabiltzea
- Ur beroa izatea
- Elikagaiak hotzean gordetzea
- Eskolara ibilgailu pribatuan joatea
- Eskolara oinez edo bizikletaz joatea
- Argia izatea

7 Nola egin dezakezue gauza bera, energia gutxiago kontsumituz? Partekatu zuen ideiak gainerako taldeekin.

Pertsonok baliabideak lortzen ditugu ingurunetik: **elikagaiak, lehengaiak** eta **energia.** Ezinbesteko baliabide bat **ura** da. Ura elikagaia da, baina hiru eremu handitarako ere beharrezkoa da; nekazaritzarako, industriarako eta etxerako, hain zuzen ere.

Pertsonak eta ingurunea / Baliabideak lortzea eta banatzea

Ingurunean dituen eragin negatiboak aztertu

8 Giza ekintzak aldaketak ere eragiten ditu ingurunean.

- Paisaia bera... baina, zer da berria eta zer desagertu da?

Paisaia naturalak paisaia gizatiartu bihurtzen dira, lurraldean gizakiaren esku-hartzea dagoenean. Hiru motatako paisaia gizatiartuak bereiz ditzakegu: **nekazaritzakoak, industrialak** eta **urbanoak.**

Pertsonak eta ingurunea / Paisaiaren eraldaketa

9 Batzuetan, aldaketek ondorio negatiboak izaten dituzte...

suntsiketa | gehiegizko ustiatzea | kutsadura

- Ingurumenaren zer kalte-mota gertatzen da...?

1. Zuhaitzak mozten direnean, eski-estazio bat egiteko.

2. Hiriko hondakin-urak itsasora isurtzen direnean, araztu gabe.

3. Hezegune batzuk lehortzen direnean, urbanizatzeko.

4. Ibai baten iraupena bermatzen duen emaria baino ur gehiago hartzen denean.

5. Atunak ugaltzeko duten gaitasunaren gainetik harrapatzen direnean.

6. Fabrika batek atmosferara keak isurtzen dituenean.

Pertsonak eta ingurunea / Paisaiaren eraldaketa

Pertsonak eta ingurunea / Baliabideen erabilera eta kutsadura

Giza ekintzaren ondorioz, ingurumenean kalteak sortzen dira; adibidez, **suntsiketa** (basogabetzea, basamortutzea eta biodibertsitatearen galera), **baliabideen gehiegizko ustiatzea** (birsortzeko gaitasunaren gainetik kontsumitzea) eta **kutsadura** (hondakinak sortzea).

Ingurumen-arriskuei erreparatu

10 Ingurunea aldatzeak arriskuak ekar ditzake gizakiontzat.

- Zein dira ingurumen-arrisku horiek? Zer neurri hartu ditzakegu, arrisku horiek prebenitzeko? Aukeratu bi neurri, eta esan nola aplikatuko zenituzketen argazki bakoitzean ageri den kasuan.
  — Eraikinak arrisku naturalei egokitzea.
  — Teknologiaren laguntzarekin, biztanleria ohartaraztea eta babestea.
  — Ingurumen-aldaketak saihestea; adibidez, basogabetzea eta basamortutzea.
  — Arrisku-eremuetan ez eraikitzea.

a.

b.

Ingurumen-arrisku deritzo fenomeno natural baten ondorioz edo giza ekintzaren ondorioz ingurumenean kalte bat edo hondamendi bat izateko aukerari.

Pertsonak eta ingurunea / Ingurumen-arriskuak

Ingurumena zaintzeko moduari erreparatu

11 Markatu pare bakoitzeko zer portaerak errespetatzen duen gehiago ingurumena.

Ingurumenaren gaineko inpaktua txikitzeko portaera izan behar dugu guztiok; **urrezko arauak** bete behar ditugu. Baliabide naturalen kontsumoa **murriztu,** hautsita dauden gauzak **konpondu,** erabilitakoak **berrerabili** eta berrerabili ezin direnak **birziklatu** egin behar ditugu.

- Zer arau-motari dagokio bakoitza?
  — Beirazko ontziak gauzak gordetzeko erabiltzea, edo sortzen dituen enpresara itzultzea, garbitu eta bete ditzan.
  — Beirazko ontziak edukiontzi berdera botatzea.

  — Erosketa egitera otar batekin, erosketa-orgarekin edo telazko poltsa batekin joatea.
  — Dendetan saltzen dituzten plastikozko poltsak erabiltzea.

  — Egunkariak edukiontzi orokorrera botatzea.
  — Egunkariak paperaren edukiontzira botatzea.

12 Lagun-taldeak badaki nora bota behar den hondakin-mota bakoitza.

- Eta zuek, birziklatzeko, nola jokatzen duzue?

  Sartu Ecoembesen webgunean, eta ikusi zertarako den edukiontzi bakoitza. Ondoren, lotu hondakin bakoitza dagokion edukiontziarekin.

egunkariak - zuku-botila - plastikozko poltsa - arrautza-oskolak - pixoihalak - arrain-hezurrak
ileak - botila baten kortxoa - kontserba baten metalezko tapa - kristalezko potoa - opari-papera
sardina-lata hutsa - aluminio-papera - esne-tetrabrika - garbiketan bildutako hautsa
kartoizko kaxa - freskagarri baten txapa - paperezko mukizapi zikinak - hautsitako edalontzia
fruta-hondakinak - kafe-hondarrak - jogurt-potoa

- Ezagutzen al duzu beste edukiontzirik?

Pertsonak eta ingurunea / Ingurumena zaintzea

Garapen jasangarri esaten zaio etorkizuneko baliabideak eta aukerak arriskuan jarri gabe egungo beharrak betetzeko gai denari.

13 Zenbakitu garraio-modu hauek gehien kutsatzen duenetik gutxien kutsatzen duenera:

a. 

b. 

c. 

d. 

- Batetik bestera joateko modu hauetako zein da gutxien kutsatzen duena?
- Zer ingurumen-abantaila du autobusak autoarekiko?

Hauxe ikasi dut

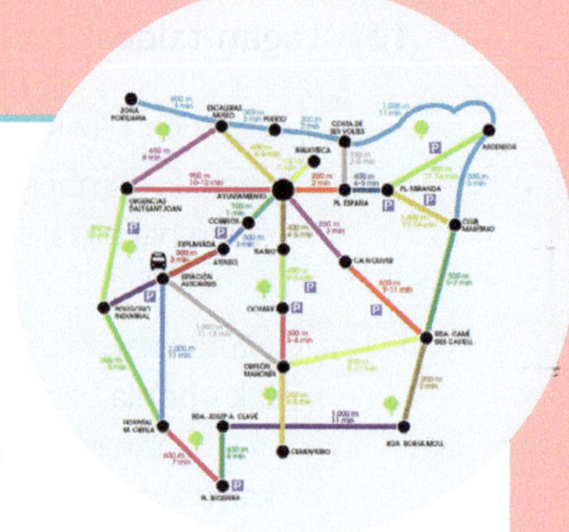

14 Lagunek argi dute batetik bestera joateko gutxien kutsatzen duen aukera oinez joatea dela. Eta ibilian, ibilian... egin zure «minutumapa», jarraibide hauek betez:

1. Aukeratu zure udalerriko puntu interesgarriak (eraikin bat edo monumentu bat, zerbitzu garrantzitsu bat, leku oso bisitatu bat, etab.), gakoa den puntu batetik, eskolatik, abiatuta adierazteko.
2. Eskolatik, marraztu puntu interesgarrietara doazen koloretako lerroak, eta seinalatu oinezkoek egin ditzaketen ibilbideak. Lerro bakoitzean, adierazi eskolaren eta puntu interesgarriaren arteko tarteko puntuak (ibilbide baten etapak balira bezala).
3. Neurtu puntuen arteko distantziak, Google Maps erabiliz; biribildu kantitateak.
4. Kalkulatu distantziak egiteko behar den denbora. Kontuan izan adin ertaineko pertsona batek, osasun-egoera ona izanik, 5 km/h egiten dituela, gutxi gorabehera.
5. Adierazi zenbat minutukoa eta zenbat kilometrokoa den eskolatik puntu interesgarrira arteko ibilbide bakoitza, eta bitarteko puntu bakoitzaren artekoa. Sartu beste informazio batzuk ere (garraio publikoak, parkeak, etab.), ikono moduan.
6. Egin legenda, ibilbide bakoitzaren izena eta kolorea jarriz, bai eta planoan adierazita dauden gainerako informazioak ere.

15 Zer onura izan ditzake minutumaparen erabilerak ingurumenean?

Aukeratu ikasgelako minutumapa onenak, zintzilikatu eskolako informazio-puntuan eta ezagutarazi. Proiektua eskolako gainerako ikasleei erakuts diezaiokezue Ingurumenaren Nazioarteko Egunean, edo zuen proposamena udaletxera bidal dezakezue.

Ea zenbat dakizun

Amaitzeko, hausnartu

- **Orain, behin amaituta, gai zara hasierako galderari erantzuteko?**
- **Ingurumenaren eta pertsonen arteko harremanari buruzko beste zer ikasi nahi zenuke?**
- **Zer jarduera iruditu zaizkizu interesgarrienak?**

25

Zerekin egiten da historia?

- Nor arduratzen da iragana ikertzeaz?
- Zer tresna dauzkagu iragana aztertzeko?

Hauxe ikasiko duzu:

- Iturri historikoak zer diren eta zertarako balio duten ulertzen.
- Historialariei laguntzen dieten adituak ezagutzen.
- Historia aldi handietan zatitzen.
- Gertaera garrantzitsuak denbora-lerroan kokatzen.

1 Telebista-kanalek, egunkariek, irratiak, Internetek... esan dute:

Hitz egin guztien artean:

- Zer esan nahi du Rosalíak eta Pasabanek «historia egin dutela»? Zergatik egin dute historia?
- Eta zuek, historiaren parte zarete? Duela zenbat urtetatik?

Denbora nola zenbatzen den ikasi

2 Iraganean pentsatuz gero, zuen historia azaldu dezakezue.

- Eta nola zenbatzen da gizadiaren historia luzea?
  ___. urtean bizi zara, XXI. ___ eta hirugarren ___.
  Mende bat ___ urte dira; eta milurteko bat, ___ urte (edo ___ mende).

3 Gogoratu zenbaki erromatarren erabilera, eta lotu aparte:

URTEAK	1010	1789	85	1965	1868	2019
MENDEAK	I	XX	XXI	XIX	XI	XVIII

Mendeak idazteko beti erabiltzen dira **zenbaki erromatarrak.** Hala, I. mendea 1. urtetik 100. urteraino doa; II. mendea, 101. urtetik 200. urteraino, etab.

Gure kulturan, **Jesukristoren jaiotzatik** zenbatzen ditugu urteak, eta urte hori da gure **1. urtea:**

- 1. urtearen aurreko urteak atzerantz zenbatzen ditugu, eta **K.a.** (Kristo aurretik) eransten diegu.
- 1. urtearen ondorengoak aurrerantz zenbatzen ditugu, eta, Kristo aurreko urteekin nahasi badaitezke, **K.o.** (Kristo ondoren) eransten diegu.

Historia: iragana ezagutzea / Denboraren joana

4 Lagun-taldea historia-museora joan da, eta ez dakite nola erantzun gidariak egin dien galderari...

- Erromako enperadore baten estatua baten oinarrian heriotza-urtearen ondoren K.o. idaztea komeni da. Zergatik?

Oktavio Augusto (K.a. 63 - K.o.14)

Iragana nola egituratzen den ikertu

5 Museoa objektuz beteta dago. Gidariak dio iragana nolakoa zen azaltzen diguten iturri historikoak direla.

- Zer motatako iturriak dira?

Ahozko iturriak: ahozko lekukotasunak edo erregistratuak.

Iturri dokumentalak: dokumentu idatziak, grafikoak eta ikus-entzunezkoak.

Ondarezko iturriak: era guztietako objektuak.

historiaurreko eskultura

Errenazimentuko margolana

aldizkako argitalpenak

Erdi Aroko eskuizkribua

antzinateko txanpon erromatarra

Ilargirako iritsieraren argazkia

6 Zer motatako iturri historikoren adibiderik ez duzue ikusi? Aipatu.

Aitonarekin hitz egin behar dudala iruditzen zait!

Iturri historikoak iraganeko gertaerei eta bizimoduei buruzko informazioa ematen diguten elementu guztiak dira. Izan daitezke **ahozkoak, dokumentalak** eta **ondarezkoak.**

Historia: iragana ezagutzea / Iragana ikertzen

7 Ikusi non gordetzen diren ezagutu dituzuen iturri historikoak:

Vienako Historia Naturalaren Museoa

Louvre museoa

Bilboko Arkeologi Museoa

Frantziako Liburutegi Nazionala

Hemeroteka

NASAren artxiboa

- Orain zuen txanda da: non gordetzen da...?

MUSEOA | LIBURUTEGIA | ARTXIBOA | HEMEROTEKA

- anfora greziar bat
- armadura bat
- XX. mendeko moda-aldizkari bat
- XXI. mendeko komiki bat
- Gerra Zibileko dokumentu bat
- arte-entziklopedia bat
- XV. mendeko mapa bat
- gaur egungo kirol-egunkari bat

8 Museoetan, iturri historiko desberdinen azterketan adituek lan egiten dute...

- Zer ikasi dute? Nor dira? Zer egiten dute?

paleografoa | arkeologoa | numismatikaria

Historia: iragana ezagutzea / Historia ikertzen

Iragana nola aztertzen den ikertu

9 Historia oso luzea denez, historialariek aldi edo aro historikoetan zatitu dute. Osatu taula:

Aro historikoa	Hasiera	Amaiera-data
*	Duela 2,5 milioi urte: lehen gizakien agerpena	K.a. 3000:
Antzinaroa	*	: mendebaldeko Erromatar Inperioaren erorialdia
*	*	1492:
Aro Modernoa	*	: Frantziako Iraultza
*	*	Egungo garaia

Bost aro handitan banatzen dugu historia: **Historiaurrea, Antzinaroa, Erdi Aroa, Aro Modernoa** eta **Aro Garaikidea,** gurea.

Historia: iragana ezagutzea / Aro historikoak

10 Nola adieraz ditzakegu gertaerak grafikoki? Erreparatu denbora-lerro honi:

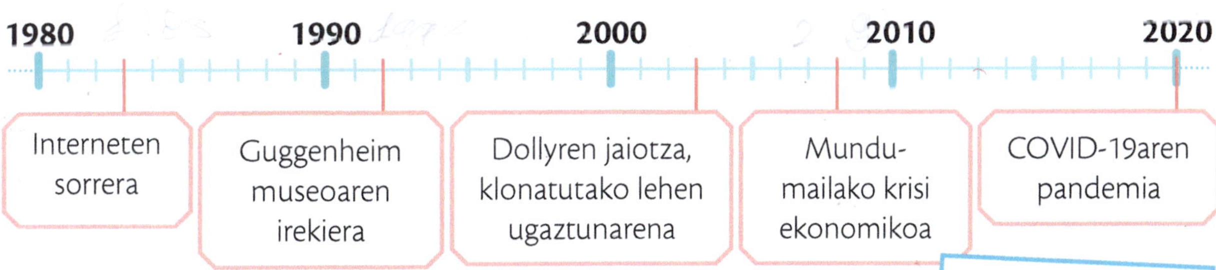

- Zer urtetan sortu zen Internet?
- Zer urtetan izan zen mundu-mailako krisi ekonomiko bat?
- Bilboko Guggenheim museoa ireki baino zenbat urte geroago jaio zinen?

11 **Jarri historialari baten azalean, eta osatu estimatzen duzun norbaiten bizitzari buruzko denbora-lerro bat, opari gisa emateko!**

- Bere bizitzan nabarmenduko lituzkeen bost gertaera kontatzeko eta zer urtetan gertatu ziren zehazteko eska diezaiokezu. Bilatu informazioa osa dezaketen beste iturri batzuk (lagunak, irakaslea, familia).

Hauxe ikasi dut

12 Jada badakizu zerekin egiten den historia. Orain, bilatu iturri historiko bat zure etxean, zure herrian, zure eskolan... Ondoren, egin iturriari buruzko fitxa bat:

Iturriaren izena

Iturriaren deskribapena

Iturri-mota:

- dokumentala
- ondarezkoa
- ahozkoa

Data (mendea eta urtea, gutxi gorabeherakoa edo zehatza)

Aro historikoa:

- Historiaurrea
- Antzinaroa
- Erdi Aroa
- Aro Modernoa
- Aro Garaikidea

Kokapena (etxeko zer tokitan, zer kale edo auzotan, zer museotan...)

13 Behatu XXI. mendeko aurrerapen hauei. Aukeratu zure ustez historikoa izango den bat, eta ikertu nola asmatu zuten. Etorkizunean desagertu egingo dela iruditzen zaizu?

a. 

b. 

c. 

d. 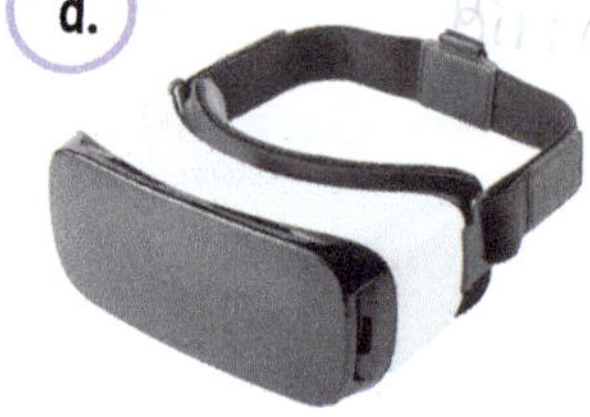

e. 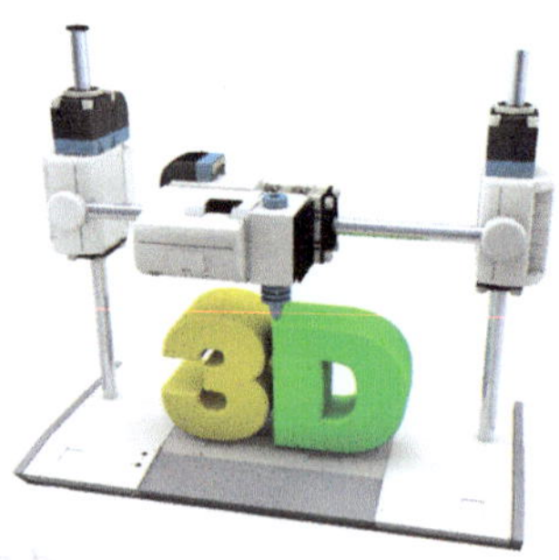

f. 

Ea zenbat dakizun

Amaitzeko, hausnartu

- **Ordenan egin dituzu lanak eta jarduerak?**
- **Laguntzarik gabe egin dituzu bakarkako jarduerak?**
- **Nola antolatu duzu lan pertsonala?**
- **Historiari buruz gehiago jakin nahi zenuke?**

Xabierko gaztelua

Lehengusu-lehengusinen etxea

26

Hauxe ikasiko duzu:

- Erdi Aroa denboran kokatzen.
- Erdi Aroko gizartearen antolamendua ulertzen.
- Arte erromanikoaren eta arte gotikoaren ondare artistikoa baloratzen.

Datorren hilean, Lolaren lehengusu-lehengusinak beren herenaitona-amonek eraiki zuten etxe izugarri handi batera aldatuko dira. Lolak dioenez, joan zen udan familiarekin bisitatu zuen gaztelu baten antza du. Eta bi argazkiak konparatuta, egia da! Baina badira zenbait desberdintasun. Garai kontua da!

Nolakoa zen gazteluen garaia?

▶ **Nolakoa zen bizitza Erdi Aroan?**

Erdi Aroa aztertu

1 **Bizitoki onena landako etxe bat edo gaztelu bat den ezin erabaki dabiltza lagunak...**

- Zer garaitakoa da Loarreko gaztelua? Ordenatu aroak denbora-lerro batean:

Antzinaroa	Erdi Aroa	Aro Modernoa
Aro Garaikidea	Historiaurrea	

2 **Behatu irudiei eta erantzun:**

- Nork kontrolatzen zuen Mediterraneoa Antzinaroan? Eta Iberiar Penintsula?

  a. frankoak **b.** erromatarrak **c.** bikingoak **d.** arabiarrak

- Zer gertaerak ekarri zuen Antzinarotik hurrengo arora igarotzea?

  a. Frantziako Iraultza
  b. idazketaren agerpena
  c. mendebaldeko Erromatar Inperioaren erorialdia
  d. europarren iritsiera Amerikara

Bisigodoak Erroma arpilatzen (410)

Herri germaniarren inbasioa

3 **Behatu aurreko irudiari eta mapari, eta erantzun:**

- Zer adierazten dute marraztuta ageri diren geziek?
- Irudiko gertaera historikoak zerikusia du maparekin. Zein gezik irudikatzen du?

Erdi Aroa hamar mendeko (V-XV) aldi bat da. Garai hartan, Europa elkarren aurka zeuden erresuma, dukerri eta konderri ugaritan banatuta zegoen.

Atzera begira / Erdi Aroa

Erdi Aroko gizartea aztertu

4 Gaur egungo gizarteak badu zerikusirik Erdi Arokoarekin?

- erregea
- jopuak
- feudoak
- hamarrenak
- basailutza

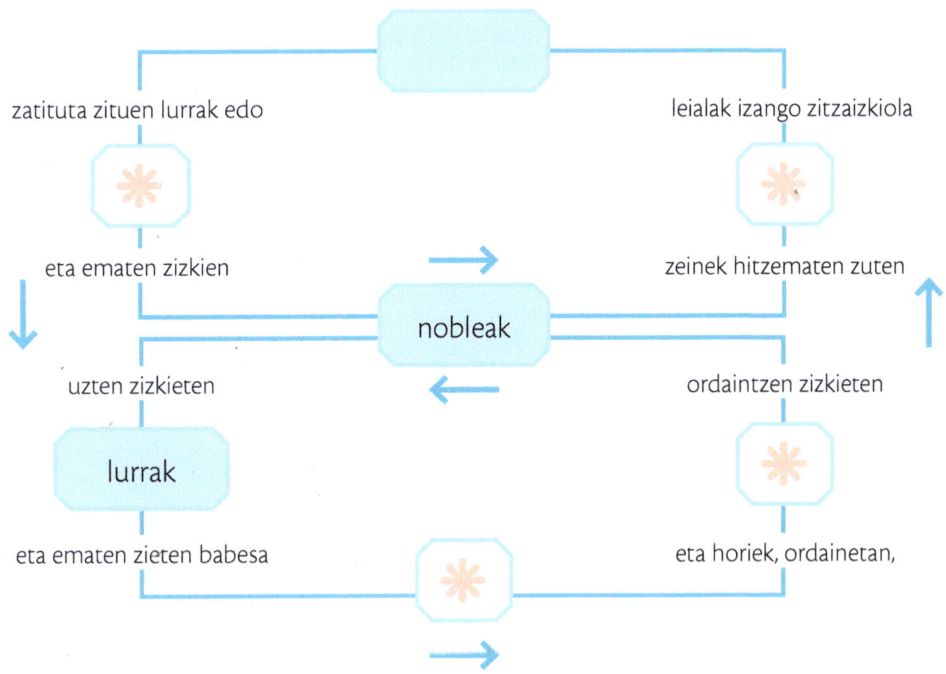

5 Bilatu informazioa irudian ageri den Erdi Aroko gizarte-taldeetako bati buruz, eta osatu fitxa bat informazio honekin.

- Bizi-estiloa: non bizi ziren, zertaz bizi ziren.
- Boterea: nor zerbitzatzen zuten, nork zerbitzatzen zituen.
- Egoera ekonomikoa.

Feudalismoa zen Erdi Aroko sistema sozial, ekonomiko eta politikoa. Gizartea hiru gizarte-talde edo -estamentutan banatuta zegoen: noblezia, kleroa eta herri xehea.

Atzera begira / Erdi Aroko gizartea

Erdi Aroaren gailurra eta krisia esploratu

7 Irakurri eta aipatu gailur hitzaren esanahia:

Gailur: garapen-maila handia, aberastasun-maila handia.

- Erdi Aroko zein une izan zen aldi hartako gailurra?
- Deskribatu Erdi Aroko gailurra edo goieneko unea taula honetako hitzak erabiliz.

artisauak - biztanleriaren gorakada - ekoizpenaren gorakada
hirien hazkundea - merkatariak - gremioak - langile gutxiago
landan - nekazaritzako teknika berriak

8 Eta krisiak, zer esan nahi du? Deskribatu krisi-garaia irudi hauen laguntzaz:

Krisi: pertsona, enpresa, industria edo gobernu batek duen fase zail bat.

Izurri bubonikoa

Pobrezia

Gerra

XI. mendetik aurrera, **oparoaldi** ekonomikoa hasi zen Erdi Aroko Europan: merkataritza areagotu egin zen, eta hiriak handitu egin ziren. Baina XIV. mendean gosea, nekazarien matxinadak eta izurria ezaugarritzat izan zituen **krisialdia** hasi zen.

Atzera begira / Erdi Aroaren gailurra eta krisia

Erdi Aroko artea aztertu

9 Irudi guztietan estilo artistiko bakar bat ageri da, edo bat baino gehiago daude? Sailkatu 1. estiloa, 2. estiloa edo 3. estiloa aukerak erabiliz:

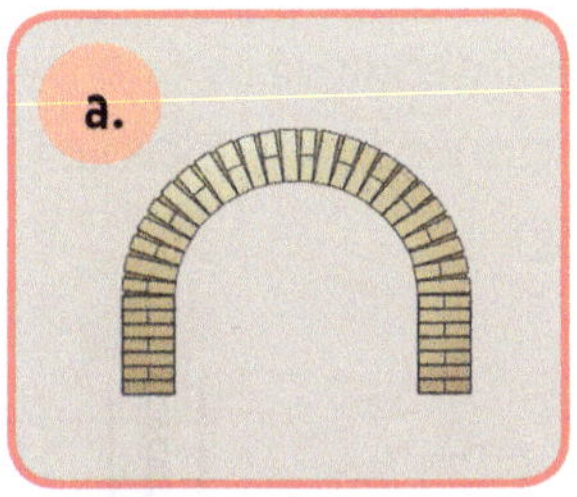

Erdi-puntuko arkua

Gargola

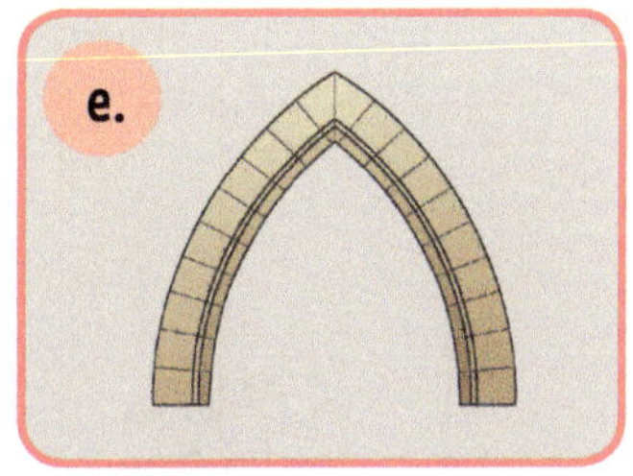

Arku zorrotza

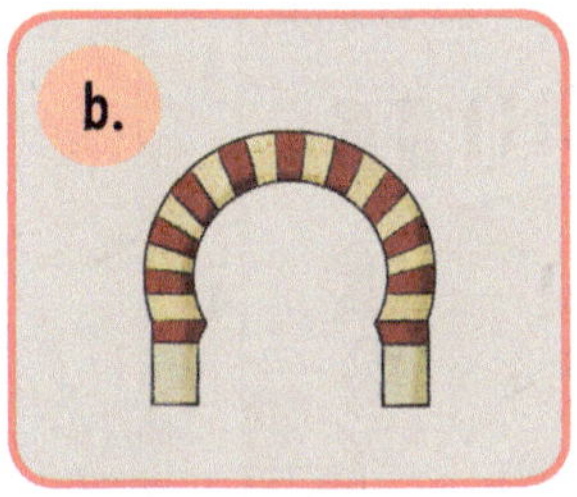

Ferra-arkua

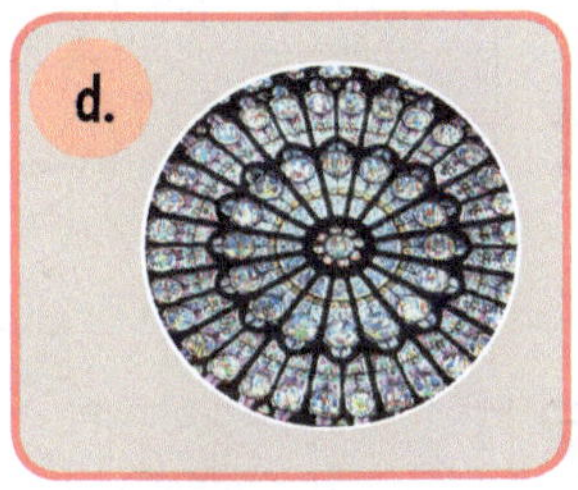

Arrosa-leihoa

Igeltsu-lana

- Elementu hauetatik abiatuta, zehaztu Erdi Aroko bi estilo artistikoen ezaugarriak:

arku zorrotza - erdi-puntuko arkua - katedrala - eliza - ferra-arkua
lodiak eta trinkoak - arrosa-leiho handiak eta beirateak - igeltsu-lanak
leiho txikiak - lirainak eta irekidura handiekin

Arte islamiarra	Erromanikoa	Gotikoa
	Erdi-puntuko arkua	
		Lirainak eta irekidura handiekin

Erabili horrelako taula bat jarduera ebazteko.

Hauxe ikasi dut

11 Dagoeneko ezagutzen duzu gazteluen garaia. Orain, deskribatu nolakoa zen garai hartako bizimodua, taula honetako hitzak erabiliz:

gaztelua - harresia - gremioa - artisaua - merkatua
monasterioa - katedrala - arrosa-leihoa - arku puntaduna - kleroa
herri xehea - noblezia - erregea

- Zer eraikinen inguruan zegoen antolatuta Erdi Aroko bizitza?
- Zein zen oinarrizko elikagaia?
- Nolako jantziak zeramatzan jendeak?

12 Oraindik badago gazteluren bat zure bizitokitik hurbil? Ikertu.

Ea zenbat dakizun

Amaitzeko, hausnartu

- **Zure ustez, zer gehiago ikasi behar zenuke Erdi Aroaz?**
- **Hemen ikusitakoa osatzen duen zer gehiago dakizu Erdi Aroari buruz?**

27

Lagun-taldeak Erdi Aroko gaztelu bat bisitatu du eskolakoekin, eta gidari batek azalpenak eman dizkie. Erdi Aroa hamar mende historia direla esan die. Litekeena da zure udalerrian ere garai hartako aztarnaren bat egotea!

Ausartuko zinateke gidari-lanak egiten zure udalerriko Erdi Aroari buruz?

- Nolakoa izan zen Erdi Aroa Iberiar penintsulan?
- Garai hartako zer hondar kontserbatu dira?

Hauxe ikasiko duzu:

- Al-andalus zer izan zen eta Iberiar penintsulan zer herentzia utzi zuen.
- Al-Andaluseko eraikuntzak identifikatzen eta baloratzen.
- Erdi Aroan nola bizi eta mugitzen ziren batetik bestera.

Al-Andalus zer izan zen ezagutu

1 Hasteko, gogoratu zer gertatu zen Iberiar penintsulan Erdi Aroan.

- Ordenatu testua. Erabili mapak eta hitz zein data nabarmenduak, lagungarri gisa.

Iberiar penintsula islamiarrak iritsi aurretik (VII. mendea) eta ondoren (XI. mendea)

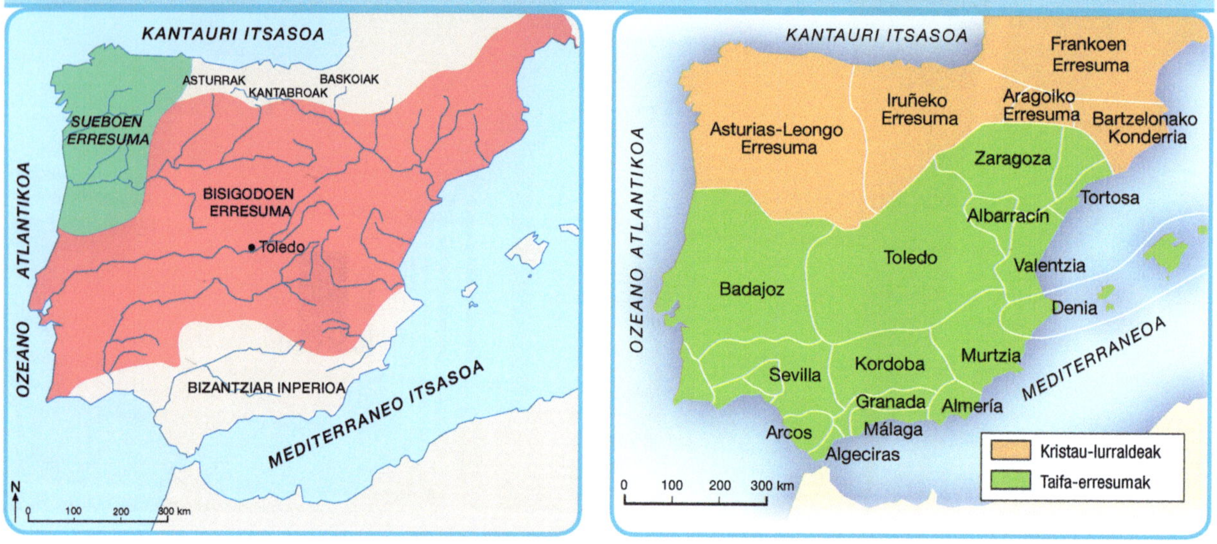

a. **711. urtean, talde islamiarrek** bisigodoak garaitu zituzten, eta penintsulan barrena hedatu ziren, Kantauri itsasotik hurbil dagoen eremu menditsuan izan ezik. **Al-Andalus** izendatu zuten.

b. **1212ko Navas de Tolosako** guduaren ostean, taifa-erresumak ahuldu egin ziren, eta erresuma eta konderri kristau independenteak, aldiz, hazi.

c. Herri germaniar batek, **bisigodoenak,** Bisigodoen Erresuma sortu zuen penintsulan VI. mendean.

d. **1492an,** islamiarrek penintsulan zuten nagusitasuna amaitu zen, **Granadako Erresuma konkistatu** zutenean.

e. Erromatar Inperioa ahuldu zenean, **beste herri batzuk** sartu ziren, eta **476an** mendebaldeko azken erromatar enperadorea bota zuten. Herri horiei «barbaroak» esaten zieten, hau da, «atzerritarrak». Europako erdialdetik iritsitako herri germaniarrak ziren.

f. Al-Andalusen batasun politikoa **XI. mendean** apurtu zen, erreinu islamiar txiki independenteetan zatitu zenean: **taifa-erresumak.**

g. VIII-XI. mendeen artean, **kristauen erresumak** sortu ziren Iberiar penintsulako iparraldean: Asturias-Leongo Erresuma, Gaztelako Koroa, Iruñeko Erresuma, Aragoiko Koroa eta Kataluniako Konderriak.

Gure aitona Andaluziakoa da. Izen hori al-Andalusen oso antzekoa da, ezta?

2 Aurreko jarduerako gertaeren hurrenkeratik abiatuta, erantzun ahoz:

- Zergatik uste duzue erabiltzen dela « Errekonkista » hitza?

3 Ezagutu zibilizazio islamiarrak gure lurraldean sartu zituen aurrerapenetako batzuk. Taldeka, saiatu erantzunak asmatzen. Ondoren, partekatu ikasgela osoarekin:

1. Zetazkoa, higienikoa eta milimetratua dago.
2. Hau gabe ez legoke ez suziririk ez petardorik. Pum!
3. Bi gurpil eta mando edo asto batekin, badugu ura.
4. Iparra ez galtzeko balio digu.
5. Ezkerrean badago, ez du ezer balio.
6. Honi esker, ortuak eta soroak ureztatzen dira.

4 Artean, islamiarrek maisulanak sortu zituzten, hauek, adibidez:

Kordobako meskita.

Granadako Alhambra jauregia.

- Zer arte ederretan nabarmendu zen arte musulmana?

  pintura | arkitektura | eskultura

- Zer eraikin-mota dira nagusiak?

  zibilak eta erlijiosoak | militarrak | eskultura

- Zein dira eraikin bereizgarrienak?

  jauregia eta meskita | monasterioa | katedrala

- Arkitektura islamiarreko arku bereizgarriak zaldien apoak babesten dituen pieza metalikoari zor dio izena. Nola du izena?

Arte islamiarrak ferra-arkua erabiltzen zuen, eraikuntzak lerdenagoak izateko. Zirkuluerdi batek baino kurba zabalagoa du, eta, ondorioz, ferra bat gogorarazten duen forma.

Atzera begira / Artea

5 Ikertu gaiari buruz, eta osatu al-Andalusi buruzko gertaera historiko hauek:

1. Islamiarrak potentzia handia izatera iritsi ziren Europan. Islamiarrak hegoaldetik etorri ziren, hain zuzen ere, * iparraldetik.
2. Islamiarrak erlijiozaleak ziren, Islamaren jarraitzaileak. Erlijio hori VII. mendean sortu zuen *-k.
3. Islamiar-talde batek Gibraltarko itsasartea zeharkatu zuen, eta Iberiar penintsulan zeuden bisigodoak garaitu zituen. *. urtetik aurrera gertatu zen hori.
4. Islamiarrek garai hartako zibilizazio hedatuena zuten: Iberiar penintsulan hasi eta *-raino.
5. Iberiar penintsulan konkistatu zuten lurraldeari * izena jarri zioten.
6. Bertako hiriburua Europa osoko gune kultural nagusia izatera iritsi zen. *-n ezarri zuten.
7. Islamiarren eremuak ahultzen joan ziren Navas de Tolosako gudutik aurrera. Gudu hori *. urtean jazo zen.
8. Hirietan, hiriguneak kale estu ugari zeuzkan, eta bi eremutan antolatuta zegoen: merkataritza-eremua eta bizitokiak. Gune horrek * zuen izena.

- Kokatu aurreko gertaerak denbora-lerro batean.

Al-Andaluseko zibilizazioa garai hartako aurreratuena zen. Bazuten argiteria, estolderia...

6 Behatu mapari, eta erantzun.

- Noiz iritsi ziren islamiarrak Iberiar penintsulara?
- Nondik zetozen?
- Nola konkistatu zuten penintsula?
- Penintsulako zein eremu konkistatu zituzten eta zein ez?

7 Al-Andaluseko agintariek gotorleku (alkazaba) eta jauregi bikainen eraikuntza sustatu zuten. Aukeratu irudi hauetako bat, eta egin ikerketa-lan bat:

Medina Zahara.

Motako gotorlekua.

Giralda dorrea.

Aljaferia jauregia.

- Zer motatako eraikuntza da?
- Non dago?
- Noiz eraiki zuten?
- Zertarako balio zuen?
- Zer ezaugarri nagusi ditu?

Nolakoa zen Erdi Aroko gizartea?

8 Gogoan duzu nola zuten izena Erdi Aroko estamentuek? Eta al-Andalusen... gizartearen antolamendua berdina zen?

9 Behatu irudiari, eta aipatu nolakoa zen bizimodua Erdi Aroan erreinu kristauetan.

- Nor bizi ziren irudiko leku bakoitzean?
- Zer ogibide zuten?

- Orain, azaldu nolakoak ziren al-Andaluseko hiriak.

Erdi Aroan, bizitzaren antolamendua desberdina zen erreinu kristauetan edo al-Andalusen.

Atzera begira / Erdi Aroko gizartea

10 Nolakoa zen elikadura Erdi Aroan? Bazen alderik nobleziaren eta nekazarien elikaduran?

11 Nola bidaiatzen zuten Erdi Aroan?

- Zein ziren bidaiatzeko arrazoi nagusiak garai hartan?

12 Zure ustez, garraiobide hauetako zein erabiltzen zituzten Erdi Aroan?

zaldia	hegazkin txikia	bizikleta
gurdia	autoa	galera

13 Donejakue bideak Iberiar penintsularen eta Europako gainerako lurraldeen arteko truke kultural eta artistikoa ahalbidetu zuen. Taldeka jarrita, egin Donejakue bideari buruzko horma-irudi bat.

- Marraztu mapa batean Orreagatik Santiago de Compostelarainoko ibilbidea.
- Idatzi bertan biztanlegune eta eliza nahiz katedral nagusiak.

14 Behatu irudiei, eta aipatu nola janzten ziren Erdi Aroan.

nobleak	zaldunak	nekazariak

Hauxe ikasi dut

15 Turismo-gidari gisa lan egin nahi duzu, eta zure hirira iristen diren bisitariei Erdi Arotik geratzen diren arrasto islamiarrak eta kristauak erakutsi nahi dizkiezu.

Horretarako, azaldu nahi dituzuen ezaugarri nagusiak bilduko dituen gidoi bat prestatu beharko duzu.

- Zer zen al-Andalus eta nola eratu zen?
- Nolakoa zen gizarte andalustarra?
- Nola eta noiz eratu eta hedatu ziren erreinu kristauak?
- Erdi Aroko erreinu kristauetako hirien eta bizimoduaren ezaugarriak.
- Erreinu kristauetako gizarte-estamentuak edo -taldeak.

16 Gainera, Erdi Aroko monumentuen irudiak dituen eskuorri bat banatu nahi duzu, monumentu bakoitza bere estiloaren arabera sailkatuta. Horretarako, behatu irudiei.

- Lotu elementu artistiko bakoitza irudien hizkiekin.

erdi-puntuko arkua - bertikaltasuna - arku zorrotza - leiho handiak - irekidura txikiak - ferra-arkua - altuera txikia - dekorazio begetala eta kaligrafikoa

Ea zenbat dakizun

Amaitzeko, hausnartu

- **Behin ikasegoera amaituta, badakizu hasierako galderari erantzuten?**
- **Zure ustez, zer gehiago ikasi behar zenuke Erdi Aroari buruz?**

28

Lagunek eskolako jantokian bazkaldu nahi luketeenari buruz hitz egin dute. Erikek argi dauka: patata-tortilla!

Noiztik jaten dugu patata-tortilla?

▶ **Zer aurkikuntza jazo ziren Aro Modernoan?**

Hauxe ikasiko duzu:

- Aurkikuntza geografiko berrien kausak eta ondorioak ulertzen.
- Aro Modernoko pentsamolde berriak ezagutzen.
- Errenazimentuko eta Barrokoko ondare artistikoa baloratzen.
- Aro Modernoko emakume artistek egindakoa aldarrikatzen.

Aurkikuntza geografikoak ezagutu

1 Patata-tortillaren jatorriak zerikusi handia du Ozeano Atlantikoan barrenako itsas bidaia batekin... Ordenatu letrak eta zenbakiak, eta ezagutu zer bidaia izan zen, nork gidatu zuen eta noiz egin zuten.

KTAZRIKUNAU		MERAKAERIN
TOIKRSLAB	NOKLO	
01112249		

- Ordura arte Europan ezagutzen ez ziren zer produktu ekarri zituzten Amerikatik? Ikertu!

berenjena	arroza	tomatea
laranja	kakaoa	artoa
piperra	patata	

2 Itsas bidaia ugari izan ziren! Ikertu portugaldarrek eta espainiarrek Aro Modernoan egin zituzten bidaiei buruz, eta erantzun:

- Zergatik bilatu behar izan zituzten Asiara iristeko beste bide batzuk Portugalek eta Gaztelak?
- Nola iritsi ziren portugaldarrak? Eta gaztelauak? Zer oztopo fisiko gainditu behar izan zuten?
- Zure ustez, zergatik esan zieten «indiarrak» Amerikako indigenei?
- Zer erreinuk finantzatu zuen Kristobal Kolonen proiektua?

Aro Modernoak hirurehun bat urte iraun zuen: 1492an Amerika aurkitu zutenetik 1789an Frantziako Iraultza hasi zen arte.

Atzera begira / Amerikaren aurkikuntza

Distantzia luzeak nabigatu ahal izateko, ezinbestekoak izan ziren aurrerapen teknikoak, hala nola **iparrorratza** edo **astrolabioa** –orientaziorako–, eta itsasontzien nahiz teknika kartografikoen hobekuntza.

3 Eta Kolon hara iritsi aurretik, nor bizi zen Amerikan? Ikertu nola zuten izena Amerikako zibilizazio indigena nagusiek:

- Esan zer pentsatzen duzuen Markosen baieztapenari buruz, eta azaldu zer gertatu zitzaien zibilizazio haiei:

4 Sailkatu baieztapen hauek, aurkikuntzen kausak edo ondorioak diren kontuan hartuta. Ondoren, aztertu baieztapen sozialak, politikoak, ekonomikoak edo kulturalak diren, eta multzokatu motaka:

Aurkikuntzen kausak eta ondorioak

- Zailtasunak bide tradizionaletatik merkataritzan aritzeko Asiarekin (turkiarren presentzia Mediterraneoan) eta Afrikako iparraldearekin (islamiarren nagusitasuna).
- Aurrerapen teknikoak: iparrorratza, astrolabioa, kartografia, itsasontziak...
- Monarkiaren boterearen gorakada.
- Estatu modernoen eta inperio handien sorrera.
- Lehengaien iturri berriak.
- Produktu landuak esportatzeko merkatu berriak.
- Burgesiaren aberastea.
- Indigenen menderatzea edo suntsitzea.
- Gaztelaniaren inposizioa.
- Ebanjelizazioa edo erlijio katolikoaren hedapena.

Sozialak

Politikoak

Ekonomikoak

Kulturalak

Pentsamolde berriak ezagutu

5 Behatu irudiari:

- Zer asmakizun ageri da?
- Zure ustez, zergatik izan zen hain garrantzitsua, pentsamolde berriak hedatzeko?
- Nola egiten zituzten liburuak ordura arte?
- Badakizu nolakoak diren gaur egungo inprimategiak? Ikertu eta azaldu zure hitzekin.
- Gaurko zer asmakizunekin alderatuko zenuke?

6 **Kolon ez zen izan itsasoa zeharkatu zuen bakarra. Aztertu Bartolomeu Dias, Kristobal Kolon, Vasco da Gama, Fernando Magallanes eta Juan Sebastian Elkano bidaiarien ibilbideak. Lotu gertaerak mapako geziekin.**

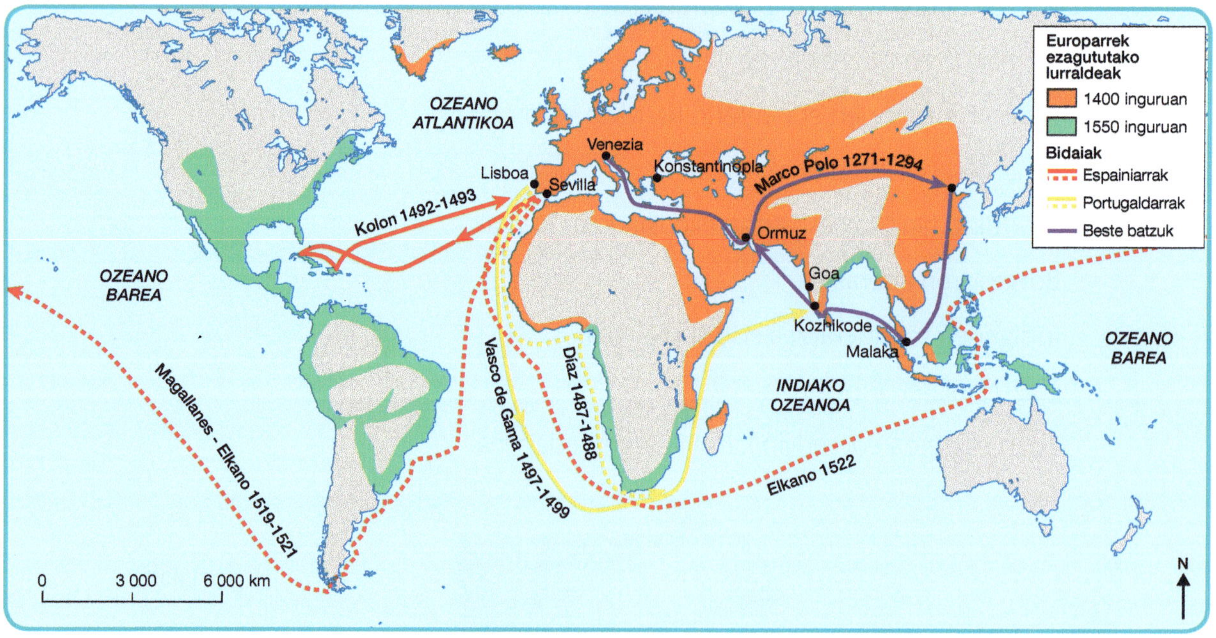

— 1492ko urriaren 12an Kolon Karibeko uharteetara iritsi zen.

— Magallanesek eta Elkanok igarobide bat aurkitu zuten Amerikaren hegoaldean.

— Vasco da Gama Afrikako kostaldearen ertzetik joan zen, eta Indiara iritsi zen 1498an.

— Magallanesek eta Elkanok Ozeania aurkitu zuten. Elkanok munduari bira eman zion.

7 Aukeratu hitz hauetako gutxienez hiru, eta idatzi definizioa. Erabili hiztegia!

ezagutza - hezkuntza - Eliza - esperimentazioa - eskubide-berdintasuna
askatasun indibiduala - ohitura txarrak - mugimendua - arrazoia - fededuna

Aro Modernoko artea aztertu

8 Errenazimentua eta Barrokoa dira Aro Modernoko mugimendu artistikoak.

- Zein da zein arkitekturan? Erreparatu legendari:

Errenazimentua	Barrokoa
1. erdi-puntuko arkua	**3.** lerro makurrak
2. kupula	**4.** dekorazio kargatua

- Bi estiloetako zeinek du eredutzat antzinate klasikoko artea? Zeri erreparatu diozue?
- Idatzi zer ezaugarri lotzen dituzuen bi mugimendu artistiko hauekin.

Errenazimentua	Barrokoa

- Ikertu Interneten zer eraikuntza Errenazentista eta Barroko dauden zuen herrian. Partekatu ikaskide guztiekin.

9 Eta margolan hauek zer dira, errenazentistak ala barrokoak?

a.

Venusen jaiotza

ERRENAZIMENTUA:
- argiaren eta kolorearen lanketa
- edertasun ideala
- paisaiaren presentzia

BARROKOA:
- errealismoa
- sakontasun naturala
- argi-itzalak

b.

Gioconda

c.

Meninaks

- Eta nor dira hiru lan horien egileak? Artistek berek emango dizute pista bat!

Mitologiak dioenez, maitasunaren jainkosa maskor batean jaio zen, lore-jasa baten pean.

Sandro Botticelli

Mona Lisa ere esaten diote, eta artearen historiako irribarre ezagunena du.

Leonardo da Vinci

Gorteko margolari ofizial gisa, errege-familia, zerbitzariak... margotu nituen lan honetan, eta neure burua.

Diego Velázquez

10 Aukeratu hiru eskultura errenazentista eta barroko, asmatu horien egileek emango lituzketen pistak eta proposatu ikaskideei lanak identifikatzeko.

11 Eta emakumeak, non daude? Bilatu informazioa Prado Museoan margolanak ikusgai dituzten Aro Modernoko emakume margolariei buruz. Aukeratu margolan bat, eta egin arte-kritikari baten lana!

Egilea:

Margolanaren izena:

Gaia:

Balorazio pertsonala:

12 Zer ezaugarri ditu eskultura barrokoak? Aipatu, Luisa Roldánen lan honetatik abiatuta.

- Ikertu nor izan zen Luisa Roldán.

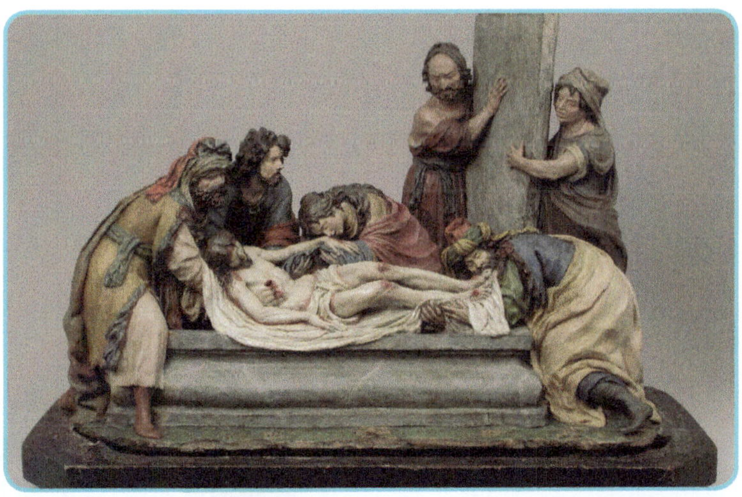

Errenazimentua antzinako greziarren eta erromatarren ideal estetikoak berrezarri nahi zituen mugimendu artistiko bat izan zen, eta edertasun- eta harmonia-eredutzat hartzen zuen giza gorputza. **Barrokoa** Elizaren eta monarkiaren zerbitzura egon zen estilo artistiko bat izan zen, eta ezaugarritzat zituen handitasuna, mugimendua, errealismoa eta ikusgarritasuna.

Atzera begira / Errenazimentua eta Barrokoa

Hauxe ikasi dut

13 **Jakingo al zenuke Aro Modernoari buruzko test hau egiten? Kopiatu erantzun zuzenak.**

1. Amerikara iritsi zen espedizioaren burua zen...
- — Vasco da Gama.
- — Kristobal Kolon.
- — Leonardo da Vinci.

2. Jatorriz Amerikako produktuak dira...
- — orburua, mandarina eta arroza.
- — mahatsa, oliba eta limoia.
- — patata, tomatea eta kakaoa.

3. Ideia berriak hedatzeko funtsezko asmakizuna izan zen...
- — karabela.
- — Internet.
- — inprenta.

4. Arrazoia pentsamenduaren oinarria dela printzipiotzat du...
- — Ilustrazioak.
- — Eliza katolikoak.
- — erreforma protestanteak.

5. Errenazimentuko artearen ereduak dira...
- — antzinate klasikoko artea.
- — antzinako egiptoarren artea.
- — historiaurreko artea.

6. Barrokoa hauen zerbitzura egon zen:
- — burgesia.
- — Eliza eta monarkia.
- — zientzia.

14 **Erantzun hauetako zein iruditzen zaizu egokiena galdera honentzat: *noiztik jaten dugu patata-tortilla*? Zergatik?**

- K.a. 1000. urtetik.
- Ez 1492. urtea baino lehen.
- Erdi Arotik, XIII. mende ingurutik.
- Gure garaiko asmakizun bat da.

Ea zenbat dakizun

Amaitzeko, hausnartu

- **Zer jarduera iruditu zaizkizu errazenak?**
- **Aro Modernoari buruz zer zalantza gelditzen zaizkizu?**

29

Hauxe ikasiko duzu:

- Aro Modernoko sistema politikoa nolakoa zen ulertzen.
- Aro Modernoko gertaera esanguratsuak identifikatzen.
- Aro Modernoko gizartea nola antolatzen zen.

Lagunak piraten ontzi baten irudi honi begira daude.
Piratei buruzko liburu asko irakurri eta film asko ikusi dituzte, baina...

Piratak benetan existitu ziren?

▶ **Nolakoa zen mundua Aro Modernoan?**

Monarkia absolutuak zer diren ikertu

1 Nork agintzen zuen Aro Modernoan? Zer erlazio izan zuten aurkikuntza geografikoek eta botereak? Osatu eskema, eta erantzuna aurkituko duzu!

lurralde berriak konkistatzea - Amerikaren aurkikuntzak - gatazka handiak
aberastasun handia - monarkia absolutuak

Monarkia absolutuetan, botere guztia erregearen esku zegoen. Europan Habsburgoko etxea eta Borboiko etxea izan ziren gobernu-mota horren ordezkari nagusiak.

Atzera begira / Monarkia hispanikoa

Estatua neu naiz!

2 Hau Luis XIV.a da, «Eguzki-erregea» izenez ezaguna.

- Zer herrialde gobernatu zuen?
- Monarka absolutuaren eredutzat bazeukaten, nolakoa izango zen? Kontuan hartu nola deitzen zioten eta zer esaten zuen.

3 Monarkia hispanikoan ere monarka absolutuek agintzen zuten.

- Nork dio zer?

Karlos II.a

Felipe V.a

Karlos I.a

Monarkia hispanikoa XVI. mendean

4 Behatu inperio hispanikoaren mapari, eta alderatu Karlos I.aren eta Felipe II.aren lurrak.

- Zer lurralde berri erantsi zizkion inperio hispanikoari?
- Felipe II.aren inperioan eguzkia ez zela inoiz sartzen esaten zen. Zergatik?

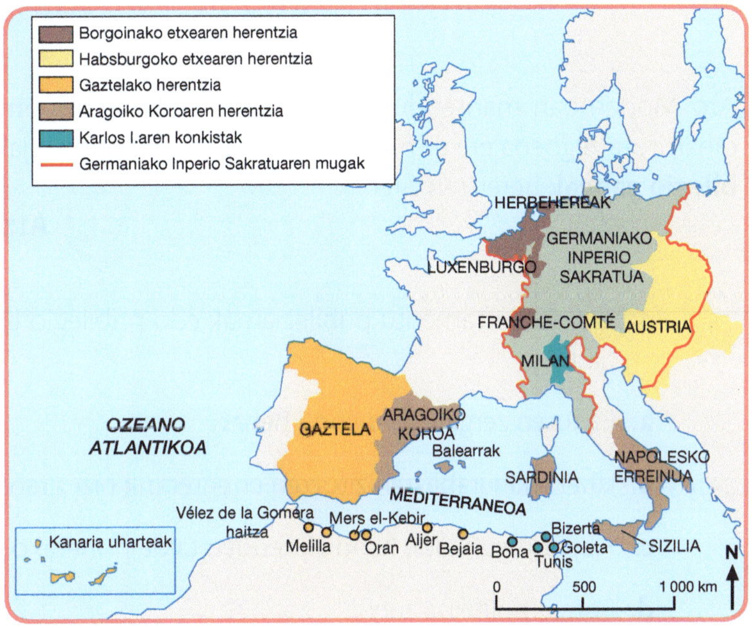

Atzera begira / Monarkia absolutuak

5 Ordenatu monarka hispanikoen oinordertza-lerroa.

Felipe III.a | Errege-erregina katolikoak | Felipe IV.a | Karlos II.a | Felipe II.a | Karlos I.a | Felipe V.a

Aro Modernoko gizartea aztertu

6 Kontzeptu hauek erabiliz, egin Aro Modernoko estamentuzko gizartearen eskema bat.

behe-kleroa - kleroa - artisauak - burgesak - noblezia - nekazariak - erregea

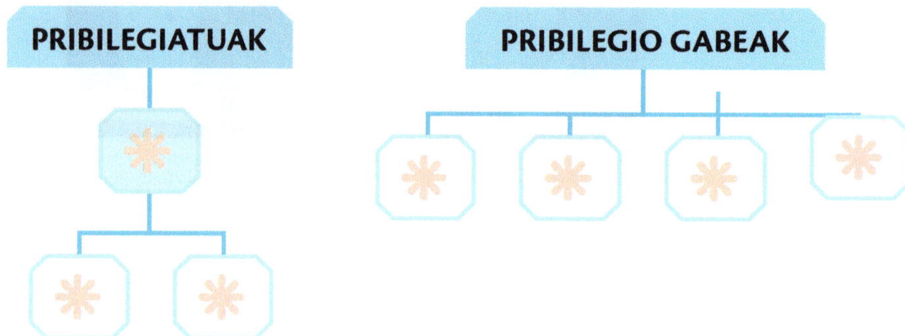

Aro Modernoan mantendu egin zen Erdi Aroko **estamentuzko gizartea,** jaiotzetiko pribilegioetan oinarrituta zegoena eta ez hainbeste aberastasun handien jabetzan. Estamentu **pribilegiatuak** eta **pribilegio gabeak** bereizten ziren.

Atzera begira / Aro Modernoko gizartea

- Sailkatu, estamentu pribilegiatuak edo pribilegio gabeak diren kontuan hartuta:

a. Ez zuten zergarik ordaindu behar.

b. Jabetzekin irabazten zituzten errentetatik bizi ziren.

c. Aberastasun-alde handiak zeuden talde honetako kideen artean.

d. Botere politikoa zuen.

e. Zergak ordaindu behar zituzten, baina ezin zuten kargu publikorik bete.

7 **Zer dira pertsonaia hauek? Pribilegiatuen edo pribilegio gabekoen taldean kokatuko zenituzke?**

Krisi ekonomikoek, batik bat XVII. menden ohikoak izan zirenek, bidelapurrak eta piratak agertzea mesedetu zuten.

Atzera begira / Aro Modernoko gizartea

8 Bidelapur eta pirata batzuk oso ezagunak izan ziren Aro Modernoan. Pentsatu bi pertsonaia hauetako zeini dagozkion gertaera hauek.

Cascanten lan egiten zuen errotari, XV. mendean, baina delitu batzuen ondorioz, jaioterritik alde egin behar izan zuen.

1476. urteko goiz batean, Bretainako kostaldean, 33 hilotz agertu ziren, lepoa moztuta.

Nafarroako Erregeren Bardeetan ezkutatuta bizi zen, bidaiariei, artzainei eta besteri erasoz.

Ingalaterratik oihalez eta harribitxiz beteta zetorren itsasontzi bateko marinelak ziren. Antza, geldialdi batean bost euskaldun hartu zituzten.

Santxikorrota

Likonako Mitxel

Eskuzabala zen, eta ihes egiten trebea. Zaldiari ferrak alderantziz jartzen zizkion, atzetik zituen soldaduak engainatzeko.

Mantxako Kanalean ekaitz gogor bat igaro ondoren, denak lo zeudela, pirata euskaldunek itsasgizonei lepoa moztu, eta uretara bota zituzten.

Hesolaren ermandadekoek inguratuta, bere buruaz beste egitea erabaki zuen.

Itsasontzia saldutakoan, Oriora itzuli zen, eta bertan atxilotu zuten. Hala ere, zaintzaileari ordainduta, ihes egin zuen.

9 Lehorreko bidelapurrez gain, itsasertzean piratak ibiltzen ziren. Dragut edo Bizargorri dira horietako batzuen izenak. Ikertu eta erantzun.

- Zer itsaso edo ozeanotan ibiltzen ziren?
- Zelata-dorreek zerikusia dute piratekin... Zergatik?
- Bilatu zelata-dorreak dauzkaten zenbait herriren izenak.

Hauxe ikasi dut

10 Gaur egun, Biden, Putin edo Steinmeier boterearekin erlazionatuta dauden izenak dira. Aro Modernoan, abizen batek agintea eta aberastasuna adierazten zituen...

- Ezagutu Aro Modernoko kontzeptu, gertaera eta pertsonaia garrantzitsuenak.

1. Frantziako monarkiaren etsaia, Gaztela buru zuena.

2. Botere osoa erregearen esku.

3. Felipe V.a dinastia honetakoa zen, eta Espainiako egungo erregea ere bai.

4. Legearen kontra jarduten zuten.

5. Frantsesa hitz egiten zuen, eta Eguzki-erregea esaten zioten.

6. Itsasontziei eraso egiten zieten, « Abordatzera » oihukatuta.

11 Ziur honezkero erantzun diezaiokezuela hasierako galderari:

- Benetan existitu ziren bidelapurrak? Eta piratak?

— Nolakoak ziren?

— Zergatik uste duzu agertu zirela garai hartan?

Ea zenbat dakizun

Amaitzeko, hausnartu

- **Ordenan egin dituzu lanak eta jarduerak?**
- **Zer baliabide erabili duzu ikasitakoa gogoratzeko (laburpena, kontzeptuen mapa, eskema, etab.)?**

Entrenatu

KONPETENTZIEN EBALUAZIOA

1. jarduera Zeruari begira

Tomas, Kuadrillakoen irakasleak, txango benetan berezia proposatu die gelakoei: gauez atera izarrak ikusteko. Zorterik izatekotan, izar iheskorren bat ere azalduko zaie zeruan!

1. Txangoaren egunean A irudiaren antzeko ilargia azaldu zaie; hamalau egun lehenago egin izan balute, aldiz, B irudiaren antzeko ilargia izango zuten ikusgai. Adi bi irudiei eta esan baieztapen hauek egiazkoak (E) ala faltsuak (F) diren:

- Ilargi-fase deitzen diegu ilargiaren itxuraldaketei.
- Ilbetea, a irudikoa, unerik aproposena da izarrak behatzeko.
- b irudiko ilargia ilberri-fasean dago.
- a irudiko ilargia ilgora-fasean dago.

2. Ilargiaren itxura aldatu egiten da Eguzkiak ematen dion argiaren arabera. Eta Lurrarena? Behatu irudiak eta kokatu Iberiar penintsula.

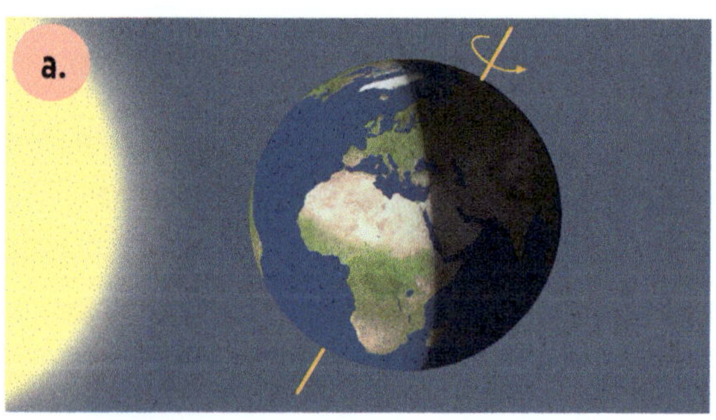

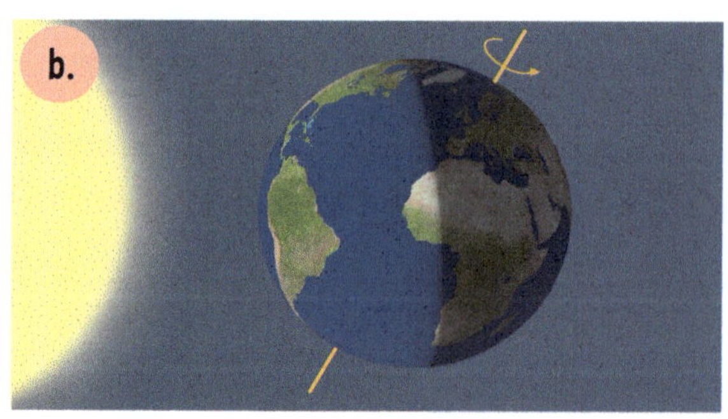

- Bi irudietatik, zeinek adierazten du gaua Iberiar penintsulan? Zergatik?
- Zer mugimendu planetariok eragiten ditu aldaketa horiek Lurraren argiztapenean?

3. **Hirian daudenez gero, ez dute ezer askorik behatu. Baina, galaxia osorik ikus dezaten, beste egun batean mendira eramango dituela esan die Tomasek.**

- Zer da galaxia bat?
- Nola du izena, besteak beste, Lurraren kokaleku den galaxiak?
- Zergatik ez dago izarrak ondo bereizterik hirian?

4. **Lolak ikaragarri maite du espazioa. Handitan astronauta izan eta eguzki-sisteman barrena ibili nahi lukeela dio.**

- Badakizu zenbat planeta dauden eguzki-sisteman? Izendatu.
- Lurraz aparte, badago bizirik planeta horietakoren batean? Zergatik?
- Eguzkiaz, planetez eta sateliteez gain, bada beste astrorik eguzki-sisteman? Jarri izenak.

*	*	*

- Aurreko astroetatik zeinek eragiten ditu izar iheskorrak? Azaldu nola eratzen diren.

5. **Gau ilunean, zuhaitz batekin egin du estropezu eta besoa urratu du Erikek. Tomasek sendatu egin dio, txangora eraman duen botikina erabiliz. Tomasek nola jokatu duen jakiteko, kopiatu eta ordenatu esaldi hauek:**

Tirita bat jarri dio zauriaren gainean.

Presioa egin dio zauriaren gainean, odol-jarioa eteteko asmoz.

Zauria garbitu du.

2. jarduera **Zinema historikoaren zaleak!**

Innsbruck hiriko kaleetan zebilela, Eriken anaiak pelikula baten estreinaldiko kartela ikusi du. Eta munduko estreinaldi guztiak ikusi nahi ditu berak!

1. Pelikula Erdi Aroan girotuta badago, hauetatik zein izango da kartelean agertzen den esaldia?

— Kristobal Kolon, aurkitzaile handia.

— Suaren aurkikuntza.

— Basailuak jaunen aurka: azken gudua.

2. Pelikula filmatu baino lehen, zuzendariak aro historiko desberdinetako argumentuak zituen mahai gainean.

- Zer aro historikokoak dira bi hauek?

Arkitekto gazte batek eliza errenazentista bat eraikitzen du Florentzian.	Merkatariek borroka egingo dute Cadizen, pirata batzuen kontra.

3. Pelikulako protagonista Erdi Aroko pertsonaia garrantzitsua da.

- Badakizu nor den?

a.

Pelaio

b.

Julio Zesar

- Azpiko data hauetatik, zein izan daiteke hura hil zen eguna?

K.a. 44	737

4. Filmazio-taldeak, pelikula girotzeko informazio bila zebilela, txosten bat bete zuen garaiko argazkiekin. Baina beste aro historikoko irudiak ere sartu zaizkie tartean. Adierazi zein diren!

A. Crécyko gudua (1346). **B.** Loarreko gaztelua (XI. mendea). **C.** Tahulleko San Klemente elizako pantokratorra (XII. mendea). **D.** *Gioconda* (1503-1519), Leonardo da Vinci. **E.** Versallesko jauregia (XVII. mendea). **F.** *Meninak* (1656), Diego Velázquez.

- Zer aro historikokoak dira Erdi Aroari ez dagozkion irudiak?
- Pertsonaia hauetatik, zein bizi izan ziren Aro Modernoan?

  — Kristobal Kolon

  — Luis XIV.a

  — Adolf Hitler

- Eta Erdi Aroan?

  — Mahoma

  — Martin Luther

  — Errege-erregina Katolikoak

Jakingaiak eta trebeziak

Jakingaiak eta trebeziak

Hirugarren hiruhilekoa

Hirugarren hiruhilekoa

Arriskuak prebenitzea

Arrisku-egoerak saihesteko, gure inguruko arriskuez ohartu behar dugu eta arrisku horiek prebenitu.

Arriskuez ohartu

Ekintza asko egin ditzakegu min hartzeko arriskuei aurre egiteko. Arriskuez ohartu, eta arduratsuak izanez gero, errazago prebenituko ditugu halako egoerak.

- **Gailu elektrikoak.** Edozer gailu sare elektrikora entxufatzen dugunean, garrantzitsua da lehor egotea eta oinetakoak jantzita izatea. Entxufea ateratzerakoan, ez diogu kableari tira behar. Hala ez da ustekabeko istripurik gertatuko.
- **Sukaldea.** Sarritan, suak, labeak, sukaldeko gailuek eta elikagaiek tenperatura altuak izaten dituzte eta, beraz, erretzeko arriskua dugu. Zerbait prestatu behar badugu, heldu batek egon behar du beti inguruan, eta kontuz ibili behar dugu elikagai beroekin.
- **Zirkulazioa.** Kalean, oinezkoen segurtasun-arauak errespetatu behar ditugu; adibidez, semaforoei kasu egin eta espaloitik ibili. Gainera, kontuz ibili behar dugu errepideko ibilgailuekin. Bizikletaz bagoaz, bidegorria erabiliko dugu ahal den guztietan eta ibilgailuen bide-arauak errespetatuko ditugu. Gauez, ez da komeni kale ilunetan ibiltzea, ez oinez, ezta bizikletaz ere.
- **Ura.** Igerilekuan eta hondartzan, zuhurrak izan behar dugu eta alferrikako arriskurik hartu gabe ibili. Hondartzetako banderek itsasoaren egoeraren berri ematen dute, beraz, kasu egin behar zaie bainatu edo ez jakiteko.

Kontuz ibili behar dugu gailu elektrikoekin.

Bide-segurtasuneko arauak ezagutu eta errespetatu egin behar dira.

Hondartzan eta igerilekuan, jarraitu sorosleen argibideei beti.

- **Elikagaiak.** Jaterakoan, aholku hauek kontuan izan behar ditugu:
  - — Irakurri elikagaien etiketak, eta ez jan edo edan iraungitako produkturik.
  - — Ez ahoratu zati oso handirik. Mastekatu ongi elikagaiak irentsi aurretik.
  - — Kontuz ibili zenbait elikagairekin, eztarrian gelditzeko arriskua baitago, hala nola arrainen hezurrak, hegaztien hezur txikiak eta fruitu lehorrak.
  - — Ez jan ezagutzen ez duzun basoko fruiturik edo perretxikorik, baliteke-eta pozoitsuak izatea eta intoxikatzea.
  - — Ez egin korrika makiladun gozokiekin, esaterako, piruletekin. Gerta daiteke erortzea eta nahi gabe makila irenstea.
  - — Eseri ongi eta zuzen aulkian. Kontuz ibili labanarekin eta mahai-tresna zorrotzekin.

Jan edo edan aurretik, elikagaien iraungitze-datari erreparatu behar zaio.

Mahaiaren inguruan, ongi eseri behar dugu, mahai-tresnak behar bezala erabili eta janaria ongi mastekatu.

Eguneroko arriskuak saihesteko aholkuak

- Kontuz ibili gailu elektrikoekin: behar bezala sartu eta kendu entxufetik, ez ukitu gorputza bustita izanez gero edo oinutsik egonez gero.
- Kontuz ibili suaren inguruan, erretzeko arriskua baitago: ez hurbildu gehiegi; helduen laguntzarekin prestatu janaria; kontuz ibili lapiko, eltze eta zartagin beroekin...
- Bidean eta errepidean istripurik ez izateko, bete oinezkoen zirkulazio-arauak. Irristailuen edo bizikletaren gainean joanez gero, erabili kaskoa burua babesteko.
- Jan aurretik, egiaztatu janaria egoera onean dagoela eta ez dagoela iraungita. Ongi mastekatu janaria eztarrian ez geratzeko.

Lehen laguntza

Lehen laguntza esaten zaio min hartutako norbaiti edo pertsona gaixo bati ematen zaion larrialdiko tratamenduari. Lehen laguntza istripua izandako lekuan bertan egiten da, zauritutako pertsona medikuarenera edo ospitalera eraman aurretik.

Zer egin behar da istripuetan?

Istripuren bat gertatze bada, BAL jokabidea jarri behar da martxan. Alegia:

Min hartu duen pertsona eta geure burua **BABESTU.**	Larrialdi-zerbitzuei **ABISATU**.	Min hartu duen pertsonari **LAGUNDU.**

Norbaitek min hartzen duenean, ahal den neurrian, baretu egin behar dugu eta lasaitasuna helarazi, lehenbailehen konponbidea bilatzeko eta laguntza aurkitzeko. Era askotako arrisku-egoerak daude, baina beti arduratsuak izan behar dugu eta laguntza eskatu, arazoa ahalik eta azkarren konpontzeko.

Larrialdi-egoeretan, deitu 112 zenbakira.

Laguntza- eta larrialdi-zerbitzuen telefono-zenbakia da. Telefonoz, lagundu egiten dizute eta, arrisku-egoeraren arabera, profesionalik egokienak bidaltzen dituzte arazoa konpontzeko, hala nola anbulantzia, suhiltzaileak, polizia... Oso garrantzitsua da zenbaki hori buruz ikastea, noizbait larrialdiren bat gertatuz gero laguntza eskatzeko.

Istripu arinetarako lehen laguntza

Lehen laguntza

Istripu arinak izandakoan, nola jokatu behar den jakitea komeni da, mina baretzeko edo larriago ez bihurtzeko. Hona hemen adibide batzuk:

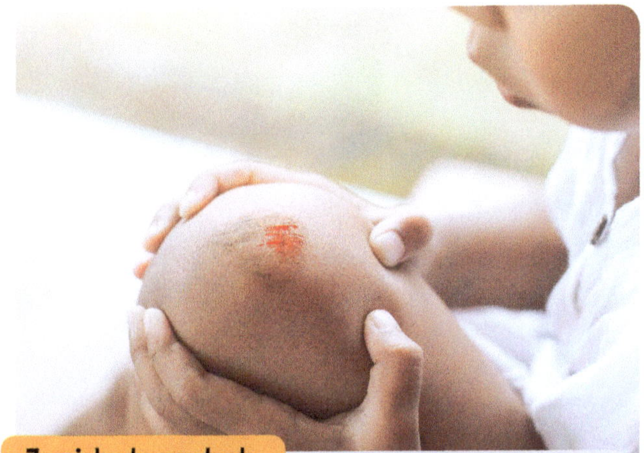

Zauriak eta urratuak

— Estutu zauria, odoljarioa geldiarazteko.

— Garbitu zauria urarekin zikinkeria kentzeko.

— Estali zauria tirita edo gaza esteril batekin.

Sudurretik odola

— Estutu sudur-hobiak mukizapi garbi batekin.

— Okertu burua aurrerantz odolik ez irensteko.

— Estutu sudurra 10 minutuz.

Intsektuen ziztada

— Kendu eztena eta garbitu zauria urarekin eta xaboiarekin.

— Jarri izotza ziztadaren inguruan edo igurtzi ziztaden aurkako produkturen bat.

— Ez egin hazka.

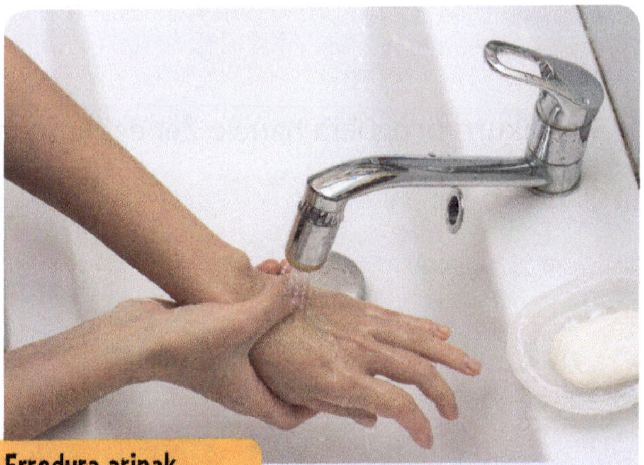

Erredura arinak

— Jarri erretako eremua txorrotako ur hotzaren azpian 10 minutuz.

— Babak ateraz gero, ez lehertu.

— Igurtzi erreduren aurkako kremaren bat.

Jarduerak

1. Aztertu hiru egoera hauek. Ondoren, idatzi gomendio-zerrenda bat egoera bakoitzeko arriskuak prebenitzeko.

a

b

c

2. Gurpil gaineko jarduerak oso dibertigarriak dira, baina baita arriskutsuak ere.

- Zer segurtasun-neurri hartu behar ditugu bizikletan edo patinetean ibiltzean garenean?

3. Irakurri bi egoera hauek. Zer egingo zenuke? Azaldu.

Jolas-orduan, ikaskide bat erori egin da eta orkatila bihurritu du. Min handia hartu du eta ezin du oinez ibili.

Etxean zaude eta basokada bat esne berotzen jarri duzu. Esneak gainezka egin du eta eskua erre zaizu. Min handia duzu.

4. Zer esan nahi du BAL protokoloak? Noiz erabiltzen da?

5. Inoiz izan duzu istripu arinik? Zer egin zenuen? Behar bezala jokatu zenuen? Zure ustez, segurtasun-neurriren bat hartu izan bazenu, istripua prebenituko zenuen?

6. Kanpoan jolasten garenean, ezbehar arinak izateko arriskua dugu, besteak beste, intsektuek ziztatzea edo intsolazioak jotzea, eguzkitan denbora asko egoteagatik. Irakurri esaldi hauek eta kopiatu ordena egokian, bi egoera horietan nola jokatu azaltzeko.

Intsektu batek ziztatzen bazaitu, hau egin behar da:	Norbait intsolazioak jota badago, hau egin behar da:
— Zauria urez eta xaboiz garbitu.	— Ura edo edari isotoniko bat edanarazi.
— Izotza jarri edo ziztaden aurkako produktu bat igurtzi.	— Aurpegia eta burua ur hotzez freskatu.
— Intsektuaren eztena kendu pintzekin.	— Gerizpera edo leku fresko batera eraman.

7. Norbaitek istripu larria izaten badu, espezialistei eskatu behar zaie laguntza. Halako egoeretan, larrialdi-zerbitzuetara deitu behar da. Badakizu larrialdietako zenbakia?

8. Eskola toki segurua da, baina zentzuz eta arduratsu jokatzen ez badugu, eskolan ere hainbat arrisku daude, esaterako, jolastokian erortzea, kolpeak hartzea, eskaileretan irristatzea, eskulanak egitean artaziekin min hartzea...

Egin eskolarako segurtasun-neurrien zerrenda bat, eskolako ikasle eta langile guztien osasuna zaintzeko.

Lur planeta

Lurra espaziotik

Lurrean bizi gara, unibertsoko astro txiki batean. Den guztia da unibertsoa. Espazio itzel horretan ezinezkoa da zenbat astro dauden kalkulatzea: zenbat izar, planeta, satelite...

Lurra espazioan

Astroak edo **zeruko gorputzak** unibertsoan barrena mugitzen dira. Astroen artean izarrak, planetak eta sateliteak bereiz ditzakegu.

Izarrak berezko argia duten astroak dira. Tenperatura oso altua duten gasez osatuta daude izarrak, eta gas horiek argia emititzen dute.

Planetak gorputz solidoak dira, forma esferikoa dutenak. Ez dute berezko argirik, eta izar baten inguruan aritzen dira biraka. Planeta batek izar baten inguruan egiten duen ibilbideari **orbita** deitzen diogu.

Sateliteek ez dute berezko argirik, eta planeta baten inguruan egiten dute bira, orbita bat deskribatuz. Badira sateliterik gabeko planetak, baita zenbait satelite dituztenak ere.

Jupiter da eguzki-sistemako planetarik handiena, eta satelite gehien duena ere bai.

Grabitate-indarra

Astroak erakarri egiten dira elkarren artean. Erakarpen-indar horri grabitate esaten diogu.

Grabitate-indarrari esker, astro batek erakarri egiten ditu bere gainazalean dauden gorputzak.

Hori dela eta, Lurreko gorputzak erori egiten dira eta ez dute flotatzen espazioan bezala.

Grabitate-indarraren eraginez ari dira eguzki-sistemako planetak Eguzkiaren inguruan biraka.

Espazioan, astroen erakarpen-indarretik urrun, flotatu egiten dute gorputzek.

Esne Bidea

Galaxia bat izarrez, planetaz eta satelitez osatutako astro-multzoa da. Galaxietako astroak mugitu egiten dira, eta galaxia bera osorik ere bai.

Unibertsoan milaka milioi galaxia daude. Eguzkia eta Lurra dauden galaxiak **Esne Bidea** du izena, eta 200.000 milioi izar ditu gutxi gorabehera.

Esne Bidea espiral modukoa da. Hainbat beso ditu, eta erdiko ardatz baten gain ari da biraka. Beso horietako baten muturrean dago Lurra.

Esne Bidea, Donejakue bidea

Esne Bideari beste izen bat ere eman zaio askotan: Donejakue bidea.
Lurretik begiratuta, gau barea eta argi artifizialik gabeko lekua aukeratuko bagenu, oso erraz bereiziko genuke Esne Bidea: izar mordoa ikusiko genuke ilaran, zerua alderik alde zeharkatzen. Gure planetatik begi hutsez ikus ditzakegun izar guztiak daude Esne Bidearen barruan.

Astronomia da Unibertsoko zeruko gorputzak aztertzen dituen zientzia. Hark ikertzen ditu planetak, sateliteak, kometak, izarrak asteroideak, meteoritoak...

Lurretik zerua behatzeko lekurik aproposenak **behatoki astronomikoak** dira. Behatoki gehienak paisaia naturaletan kokatuta daude, argi-kutsaduratik urruti.

Lur planeta

Lurra eta eguzki-sistema

Lurrak, beste zenbait astrorekin batera, planeta-sistema bat osatzen du. Goazen hobeto ezagutzera...

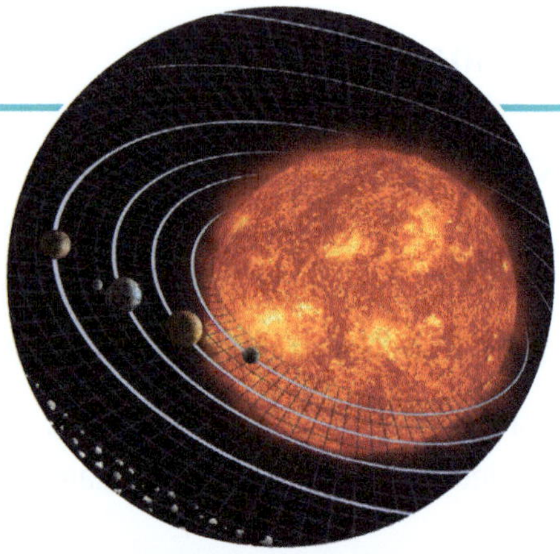

Eguzki-sistema

Izar batek eta bere inguruan biraka dabiltzan planetek osatzen dute planeta-sistema bat da.

Lurraren planeta-sistemak **eguzki-sistema** du izena.

Eguzkia eta zortzi planeta ditu sistema horrek, baita hainbat satelite ere.

Lurra

Lurra da gure planeta. Ezaugarri bereziak ditu, eta horiei esker sortu da bizia planetan.

Ezaugarri horien artean hauek aipatu behar dira: tenperatura, ura eta oxigeno-aberastuna duen atmosfera.

Lurrean hiru zati bereiz ditzakegu:

- **Geosfera.** Harriz osatuta dagoen zatia. Lurrazaleko harriak solidoak dira; baina barrukoak, tenperatura ikaragarri altuen eraginez, urtuta daude, hau da, egoera likidoan.
- **Hidrosfera.** Lurrean dagoen ur guztia biltzen duen multzoa.
- **Atmosfera.** Lurreko geruzarik kanpokoena. 1.000 kilometroko lodiera du, eta gas-nahasketa bat da batez ere.

Lur planeta.

Eguzkia

Lurretik gertuen dagoen izarra Eguzkia da. hark emititzen duen beroari eta argiari esker daukagu bizia gure planetan.

Eguzkia duela 5.000 milioi urte inguru eratu zen, eta 1,4 milioi kilometroko diametroa du. Alegia, Lurra baino 100 aldiz handiagoa da.

Lurretik 150 milioi kilometrora dago Eguzkia gutxi gorabehera.

Eguzki-sistemako beste astroak

Eguzki sistemak baditu bestelako astroak, esaterako, **kometak, asteroideak** eta **meteoritoak.**

Kometak

Gasezko eta izotzezko nukleo txiki batek osatutako gorputzak dira. Eguzkira gerturatzean, izotza urtu egiten da beroaren ondorioz. Eta horregatik ikusten diegu buztan luzea.

Asteroideak

Gorputz harritsuak dira, planetak baino txikiagoak. Eguzkiaren inguruan biraka dabiltza haiek ere. Marte eta Jupiter planeten orbiten artean kokatuta daude gehienak.

Meteoritoak

Materia-zatiak dira, tamaina desberdina dutenak. Meteorito txiki batek Lurraren atmosferarekin talka egiten duenean, piztu egiten da. Eta **izar iheskor** izeneko fenomenoa sortzen da orduan.

Lurraren higidurak

Nahiz eta gu ez konturatu, Lurra etengabe ari da mugitzen. Mugimendu horien eraginez, aldatu egiten da Eguzkitik jasotzen dugun argiaren eta beroaren intentsitatea.

Errotazio-higidura

Lurrak bere buruaren inguruan egiten duen mugimendua da **errotazio-higidura.** Irudizko ardatz baten inguruan egiten du: errotazio-ardatzaren inguruan.

Lurraren **errotazio-ardatza** irudizko lerro zuzen bat da, planeta ipar polotik hego poloraino zeharkatzen duena. Bertikalarekin alderatuta, apur bat inklinatuta dago ardatza.

Errotazio-ardatzarekiko perpendikularra den irudizko planoari **ekuatore** deitzen diogu. Bi erdi edo hemisferiotan banatzen du Lurra: **ipar hemisferioan** eta **hego hemisferioan.**

Errotazio-mugimenduaren ondorioz gertatzen da egunen eta gauen segida:

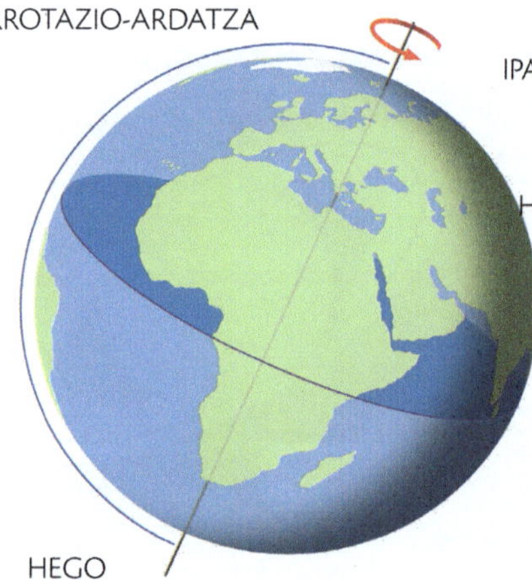

- Eguzkiaren argia jasotzen duen Lurraren gunean **eguna izango da.**
- Eguzkiaren argirik jasotzen ez duen Lurraren gunean **gaua izango da.**

Eguzkiak argitutako zatiaren eta zati ilunaren artean, badira ilunantz-guneak. Horietan «irteten» edo «sartzen» ari da Eguzkia.

Lurrak, gutxi gorabehera, **24 ordu** behar ditu bere buruaren gain bira osoa emateko. Hau da, **egun oso bat.**

Orientazioa: puntu kardinalak

Lurraren errotazioari esker, Eguzkia zeruan barrena mugitzen dela iruditzen zaigu.

Eguzkiaren itxurazko mugimendu hori erabiltzen dugu lau **puntu kardinalak** finkatzeko: **iparra, ekialdea, hegoa** eta **mendebaldea.** Orientatzeko baliatzen ditugu.

Eguzkia ekialdetik ateratzen dela eta mendebaldetik sartzen dela jakitea ere laguntza handia da orientatzeko.

Translazio-higidura

Planetak Eguzkiaren inguruan egiten duen ibilbideari **translazio-higidura** esaten diogu. **365 egun** behar ditu bira osoa burutzeko, hau da, **urtebete.**

Translazio-higidurak eragiten du urtaroen segida. Baina segida hori, Lurraren errotazio-ardatzaren inklinazioaren ondorioz, ez da berdin gertatzen bi hemisferioetan.

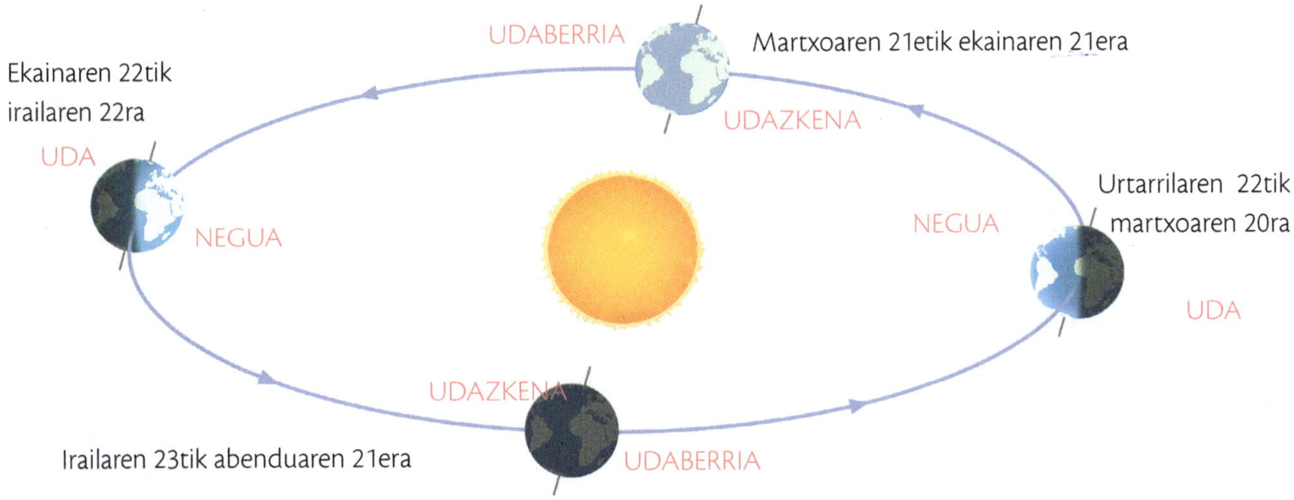

Errotazio-ardatza inklinaturik dagoenez, eguzki-izpiak beste modu batean iristen dira Lurreko guneetara.

Alegia, urtean zehar, eguzkiak bero handiagoa edo leunagoa eragiten du leku batzuetan. Eta gauza bera gertatzen da argiarekin: denbora luzeagoan edo laburragoan argitzen ditu leku batzuk. Hori dela eta, urtaroak aurrera doazen neurrian aldatu egiten dira tenperatura eta egunaren eta gauaren iraupena.

Eguzkia neguan

Neguan baxuago ikusten dugu eguzkia, eta eguzki-izpiak inklinaturik heltzen zaizkigu.

Eguzkia udan

Udan altuago ikusten dugu, eta eguzki-izpiak perpendikularki iristen dira gugana.

Ekuatoretik gertu dauden guneetan ez dago urtarorik, izan ere, eguzki-izpiek urte osoan zehar bete-betean jotzen baitute.

Poloetan, ordea, neguko hiletan ez da eguzkirik ateratzen, eta fenomeno horri deitzen diogu negu Polarra. Era berean, eguzkia ez da sartzen udan zehar.

Ilargia, Lurraren satelitea

Ikusten ez dugun arren, Ilargiaz gain milaka objektu ari dira Lurraren inguruan biraka.

Haiei ere satelite deitzen diegu, baina artifizialak dira. Zer esan nahi du horrek? Ba pertsonok sortu ditugula eta hainbat helburu betetzeko bidali ditugula espaziora.

Ilargiaren mugimenduak

Ilargia da Lurraren satelite natural bakarra.

Errotazio-mugimenduaren arabera mugitzen da bere buruaren gain; eta **translazio-mugimenduaren** arabera Lurraren inguruan.

Ilargiaren errotazio- eta translazio-mugimenduek iraupen berbera dute: **27 egun, 7 ordu eta 43 minutu.** Tarte horretan zehar, Lurretik begiratuz gero, Ilargiaren itxura aldatu egiten da Eguzkiak argitzen duen zatiaren arabera.

Ilargiaren itxuraldaketei **ilargi-faseak** deitzen diegu.

Ilargiaren gainazalean **krater** ugari dago. Meteoritoek sortu zituzten, Ilargiaren kontra talka egitean, Ilargiak ez baitu atmosfera babesgarririk Lurrak bezala.

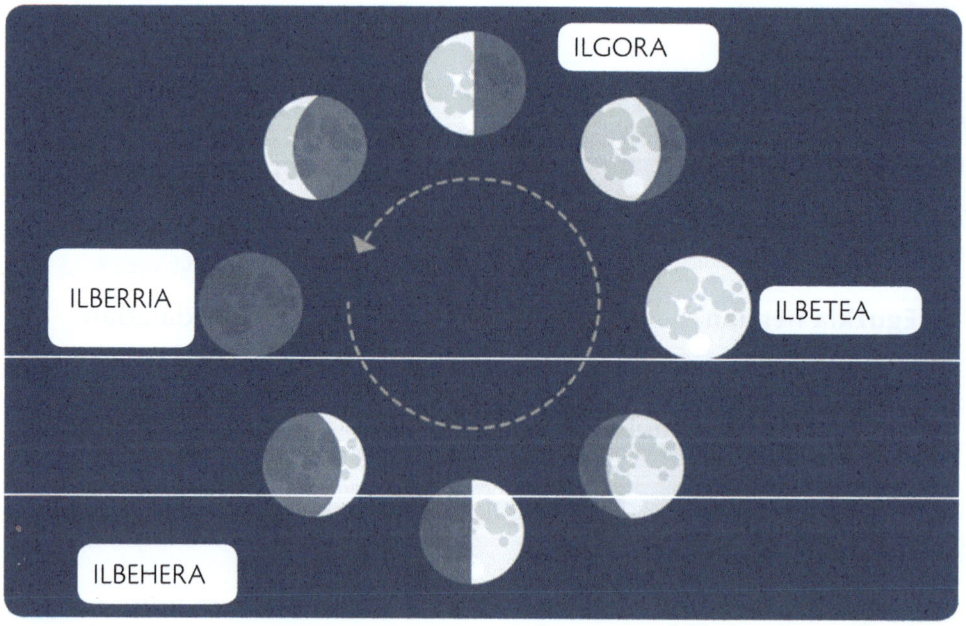

Lurraren inguruan Ilargiak egiten duen orbita, une desberdinetan.

Eklipseak

Eguzkiaren inguruan Lurra eta Ilargia etengabe mugitzen direlako gertatzen dira **eklipseak**.

Eklipse bat izateko, hiru astroek lerroan egon behar dute guztiz, eta batek Eguzkiaren argia estali behar dio besteari. Eguzki-eklipseak edo ilargi-eklipseak izan daitezke.

Eguzki-eklipsea

Ilargia lerrokatuta geratzen da Eguzkiaren eta Lurraren artean, eta hark proiektatutako itzalak Lurraren zati bat iluntzen du egun betean.

Ilargi-eklipsea

Lurra geratzen da Eguzkiaren eta Ilargiaren artean. Eta, Lurrak Ilargiaren gain proiektatzen duen itzalaren ondorioz, ilunago ikusten dugu.

Mareak

Itsasoetako eta ozeanoetako urak gorakadak eta beherakadak izaten ditu egunean zehar. Horixe dira **mareak**. Ilargiaren grabitateak Lurraren gain egiten duen indarragatik gertatzen dira.

Mediterraneo itsasoan oso ahulak dira mareak, eta metro erdira iritsi daitezke gutxi gorabehera. Aldiz, ozeano handietako kostaldean hainbat metroko aldea egon daiteke **itsasbeheraren** –urak lortzen duen punturik baxuena– eta **itsasgoraren** –urak eskuratzen duen punturik altuena– artean.

Urak bere mailarik altuena lortzen du itsasgoran.

Ura bere punturik baxuenera iristen da itsasbeheran.

Lur planeta

Ozeanoak eta kontinenteak

Lurrazalean, alde batetik, itsasoek eta ozeanoak estalitako eremuak dauzkagu; eta, beste alde batetik, itsasotik ateratako lurrak, uharteak eta kontinenteak.

Ozeanoak eta kontinenteak

Planetaren bi heren baino gehiago urez estalita dago, ozeanoetako eta itsasoetako urez hain zuzen. **Ozeanoak** itsasoak baino handiagoak dira. Bost ozeano daude: **Atlantikoa, Barea, Indiarra, Artikoa** eta **Antartikoa.** Uretatik ateratako lurrek mugatzen dituzte **itsasoak.** Ehundik gora itsaso daude munduan.

Kontinenteak lur-eremu handiak dira, gure planetako gune urgaineratuen gehiengoa hartzen dutenak. Sei dira orotara: **Europa, Asia, Afrika, Amerika, Ozeania** eta **Antartika.** Kontinenteez gain, uharteak ere aipatu behar dira. Itsasoz edo ozeanoz inguratutako lur-eremuak dira **uharteak.** Uharteak **uhartedi** edo **artxipelagotan** taldekatuta egoten dira maiz.

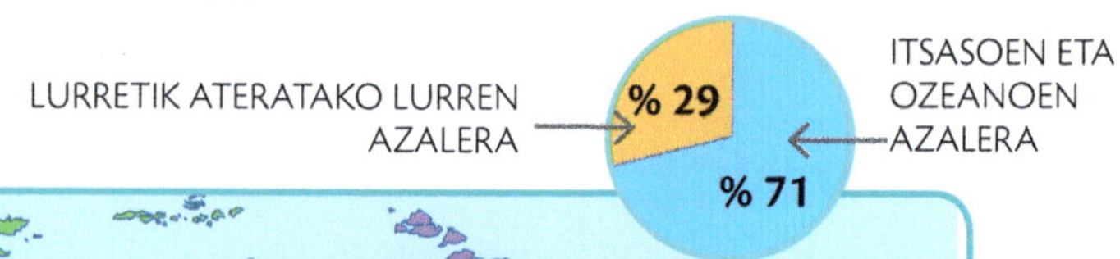

Kontinenteak

Europa, gure kontinentea

Europa kontinentetzat hartua izan da beti, baina, benetan, Asiaren penintsula handi bat da.

Uralek eta Kaukasoko mendiek, Kaspiar itsasoak eta Itsaso Beltzak banatzen dituzte Europa eta Asia.

Europaren iparraldean Ozeano Artikoa dago; mendebaldean, Ozeano Atlantikoa. Hegoaldean, Europaren eta Afrikaren artean, Mediterraneo itsasoa daukagu.

Iberiar penintsula eta Espainia

Iberiar penintsula Euoparen hego-mendebaldeko muturrean kokatuta dago.

Espainiak hartzen du Penintsularen zatirik handiena. Era berean, Espainiak baditu bi artxipelago ere: Mediterraneoan, Balear Uharteak; Ozeano Atlantikoan, Kanariar Uharteak. Afrika iparraldeko Ceuta eta Melilla hiriak ere Espainiako lurrak dira.

Europa

Lurreko kontinenteetako bat da.

Iberiar penintsula

Europaren hego-mendebaldean kokatuta dago.

Espainia

Iberiar penintsulako herrialderik handiena da.

Mapak eta atlasak

Lurralde bat eta bere ezaugarriak grafikoki irudikatzeko erabiltzen ditugu mapak eta atlasak.

Mapak

Lurralde baten irudikapen grafikoari deitzen diogu **mapa**. Marrazki horrek eskualde, herrialde, kontinente... bat irudika dezake goitik begiratuta. Mapak dakarren informazioan arabera, mapa-mota desberdinak sailka ditzakegu: mapa fisikoak (leku baten erliebea irudikatzen dute), mapa politikoak (lurraldeen arteko mugak irudikatzen dituzte), komunikabideen mapak, mapa klimatikoak....

Hauek dira mapa baten elementu nagusiak:

- **Toponimoak,** lekuen izenak.
- **Haize-arrosa,** maparen orientazioa adierazten duena puntu kardinalen arabera.
- **Eskala,** mapako tamainen eta lurraldeko benetako neurrien arteko harremana adierazten duena.
- **Legenda,** erabilitako hizki-moten, koloreen, sinboloen eta lerroen esanahia adierazten duena.

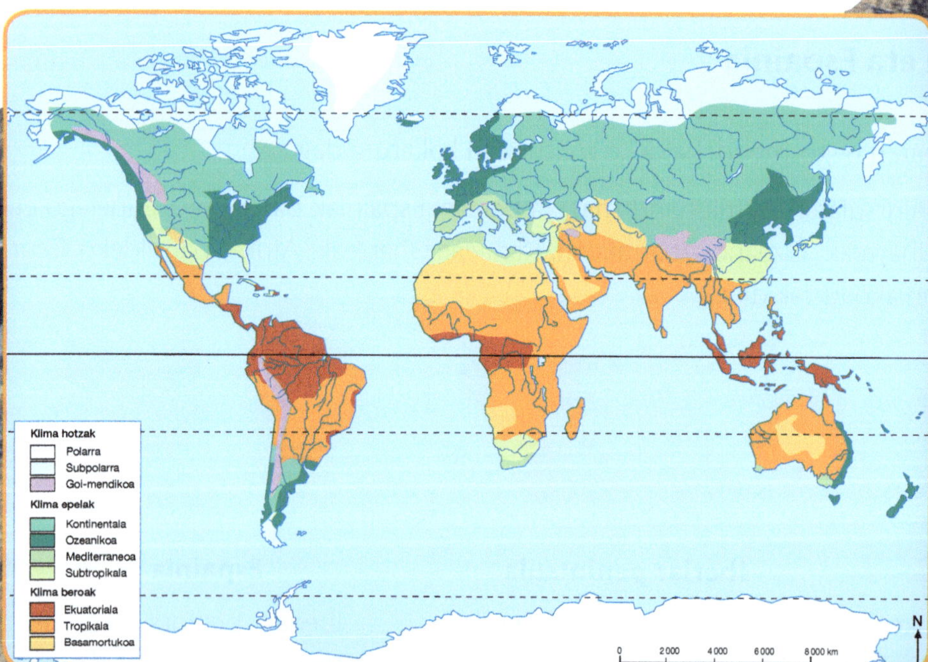

Mapa guztiek ez dituzte elementu guztiak aldi berean islatu behar. Zer falta zaio honi?

Atlasak

Atlasa mapa-multzo bat da. Inprimatutako atlas batean hauxe aurkituko dugu:

- **Aurkibide orokorra**, barruan zer mapa dauden adierazten diguna.
- **Mapa**-multzoa.
- **Toponimoen aurkibidea**, atlasean agertzen diren izen geografiko guztiak biltzen dituena. Aurkibide topografikoko izen bakoitzaren ondoan adierazten da zer orrialdetan dagoen, baita agertzen den maparen koordenatuak* ere.

Atlas batean mundu osoko mapak topa daitezke, edo eskualde txikiago batekoak bestela (kontinente bat, herrialde bat, probintzia bat...).

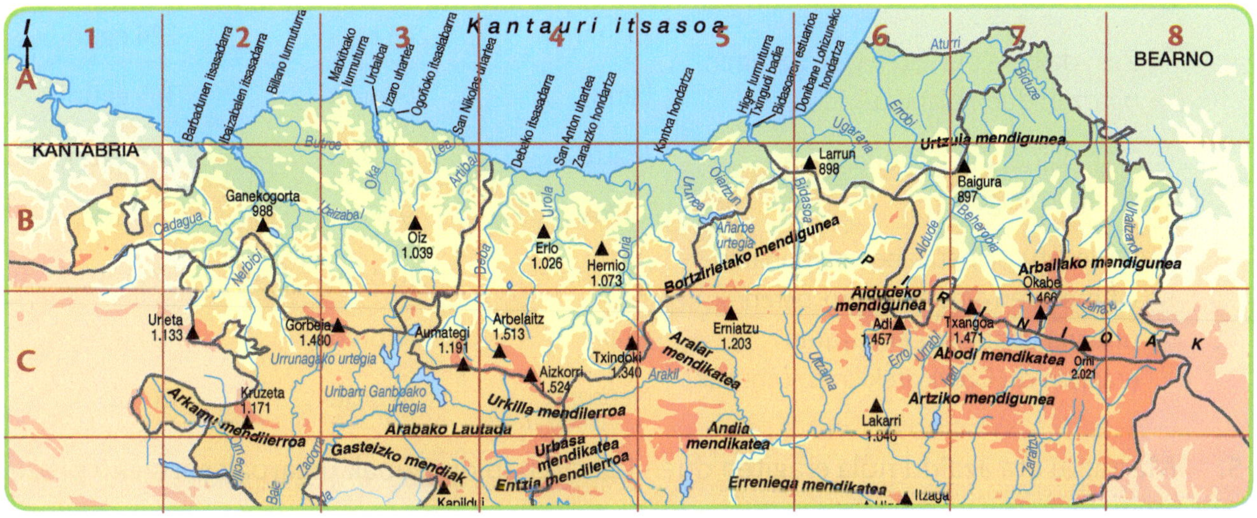

* Koordenatuen ardatzak bi lerro perpendikular dira. Koordenatuen ebakidurari esker lortzen dugu puntu jakin bat non dagoen jakitea.

Atlas batean toponimo bat lokalizatzeko jarraibideak

- Bilatu toponimoen aurkibidean zer orrialdetan dagoen mapa, eta zein den bere kokapena koordenatuen arabera.

  Adibidez: Tajo, ibaia .... 232 (orrialdea) B4 (koordenatuak).
- Joan atlasaren orrialde horretara eta bilatu koordenatu horiek.
- Aurkitu mapan koordenatuek mugatzen duten laukia eta lokalizatu toponimoa bertan.

Jarduerak

1. Azaldu planeta baten eta satelite baten arteko antzekotasunak eta desberdintasunak.

2. Lurra dagoen galaxiak nola du izena? Zer beste izen ematen zaio? Zer itxura du? Nola du izena Lurra dagoen planeta-sistemak? Eta sistema horretan dauden gainerako astroek?

3. Zein da Lurraren errotazio-mugimenduaren ondorioa? Eta translazio-mugimenduarena?

4. Erreparatu taulari eta erantzun galderei.

   — Zein da bere buruaren gain azkarren biratzen duen planeta?

   — Zein planetan da eguna urtea baino luzeagoa?

   — Ordenatu planetak beren egunaren iraupenaren arabera. Gero, beren urtearen arabera. Zer kasutan eragiten du Eguzkiarekiko distantziak?

Planeta	Errotazio-mug.	Translazio-mug.
Merkurio	58 egun	88 egun
Artizarra	243 egun	224 egun
Lurra	24 ordu	365 egun
Marte	24 ordu	779 egun
Jupiter	9 ordu	12 urte
Saturno	10 ordu	29 urte
Urano	17 ordu	84 urte
Neptuno	16 ordu	165 urte

5. Marraztu eta azaldu nola eragiten duen Lurraren inklinazioak urtaroak sortzeko prozesuan.

   — Planetaren erdia neguan dagoenean, zergatik dago beste erdia udan?

6. Eguzkiaren argiak eragin nabaria du bizidunengan. Zer urtarotan hazten dira landareak errazago? Arrazoitu.

7. Zer gertatuko litzateke Lurrak, translazio-mugimendua bai, baina errotazio-mugimendurik gauzatuko ez balu?

8. Kopiatu marrazki hau eta kokatu bertan elementu hauek:

Errotazio-ardatza — Ipar poloa — Ipar hemisferioa — Hego hemisferioa — Hego poloa — Ekuatorea

9. Lotu: Atmosfera · Hidrosfera · Geosfera

— Lurraren zati solidoa.

— Lurrean dagoen ur guztiaren multzoa.

— Harriz osatuta dago.

— Lurraren kanpoko gainazala.

— Gas-nahasketa batez osatuta dago.

10. **Marraztu bi Ilargi, bat ilgorako fasean eta bestea ilbetean. Zergatik gertatzen dira fase horiek?**

11. **Azaldu ilbeheraren eta ilargi-eklipse baten arteko desberdintasuna.**

12. **Azaldu zer diren mareak eta zer motatakoak izan daitezkeen.**

13. **Sailkatu hitz hauek bi taldetan, eta jarri izen bana zuk sortutako talde horietako bakoitzari.**

Asia · Ozeano Atlantikoa · Mediterraneoa · Amerika · Afrika · Ozeano Barea

— Osatu talde bakoitza kategoria bereko beste hitz batzuekin.

14. **Azaldu zein diren kontinente europarraren muga naturalak.**

15. **Erreparatu mapei, eta azaldu Iberiar penintsula eta Espainiaren arteko aldea.**

16. **Definitu kontzeptu hauek:**

toponimoa · haize-arrosa · eskala · legenda

— Non aurki ditzakezu elementu horiek guztiak?

Baliabideak lortu eta banatu

Gizakiak ingurunearekin duen harremana eta gainerako izaki bizidunek dutena oso desberdinak dira: baliabideak lortzen ditugu, eta gure bizimoduarekin, aldaketa nabarmenak eragiten ditugu ingurunean.

Baliabideak lortu

Pertsonok hiru baliabide-mota desberdin lortzen ditugu ingurunetik: **elikagaiak, lehengaiak** eta **energia.**

Elikagaiak

Elikagaiak eskala handian lortzeko, nekazaritza, abeltzaintza eta arrantza garatu ditugu, eta horiek manipulatzeko industriak sortu ditugu.

Lehengaiak

Mineralak, egurra, petrolioa, zuntz begetalak... industrian erabiltzen dira, eraldatzeko eta haiekin askotariko produktuak fabrikatzeko.

Energia

Energia lortzea nahitaezkoa da, inguruan dugun ia guztiak funtziona dezan: garraiobideak, lantegietako makinak, eraikinetako argiak, etxetresna elektrikoak, etab.

Baliabide horiek lortzeko jarduerek –**nekazaritza, abeltzaintza, arrantza, basogintza, meatzaritza, industria, energia ekoiztea,** etab.– aldaketak eragiten dituzte ingurumenean, eta aldaketa horiek kaltegarriak izan daitezke pertsonentzat eta ingurunearentzat.

Herrialde askok **baliabide natural ugari** kontsumitzen dituzte, gizarte horietako bizimoduan, energiaren eta mota guztietako produktuen eskaria handia delako.

Kontsumoak erritmo berari eusten badio, eta gainerako herrialdeetan modu berean handitzen bada, planetak ez ditu behar adina baliabide izango biztanle guztientzat, eta ezingo du xurgatu sortzen den kutsadura guztia.

Bestetik, baliabideak ez dira berdin eskuratzen: herrialde aberatsenek baliabide gehienak kontsumitzen dituzte, eta herrialde batzuek ez dute behar adina elikagai bertako biztanleriarentzat.

Uraren giza zikloa

Giza bizitzarako ezinbesteko baliabide bat **ura** da. Ura elikagaia da, baina beste jarduera askotarako ere beharrezkoa da.

Hiru eremu handitan erabiltzen dugu ura: **nekazaritzan, industrian** eta **etxean.**

Ura lortzeko, uraren ziklo naturalean esku hartzen dugu, zenbait instalazioren bidez. Hala, **uraren giza zikloa** sortzen dugu. Hauek dira instalazioak:

Urtegiak

Ura biltegiratzeko sortzen diren aintzira artifizialak dira. Horretarako, ibaiaren ibilbidea eteten da, horma edo presa handi batekin; normalean, energia elektrikoa sortzeko.

Ur-araztegiak

Ura tratatzen dute, edateko ur bihurtzeko; hau da, gizakiak kontsumi dezan. **Gezatzeko** plantak ere badaude, itsasoko ur gazia ur geza bihurtzen dutenak. Ur hori jatekoa prestatzeko eta garbiketarako erabiltzen da.

Ubideak eta hodiak

Ura laborantzetara, industrietara edo gure etxeetara bideratzen dute.

Estolderia-sarea

Hondakin urak biltzen ditu; hots, erabilita dauden urak. Ur horiek **araztegi** batetik pasatzen dira, eta han garbitu egiten dira, naturara itzuli aurretik.

Pertsonak eta ingurunea

Paisaiaren eraldaketa

Gizakiak ingurunean egiten dituen ekintzek aldaketak eragiten dituzte paisaian, edozein eragile geologikoren moduan.

Eta modu horretan, paisaia naturalak paisaia gizatiartu bihurtzen dira.

Paisaia naturalak eta paisaia gizatiartuak

Paisaia naturalak paisaia gizatiartu bihurtzen dira, lurraldean gizakiak esku hartzen duenean. Hiru motatako paisaia gizatiartuak bereiz ditzakegu: **nekazaritza-paisaiak, paisaia industrialak** eta **hiri-paisaiak.**

Laborantzak nekazaritza-paisaiak dira.

Nekazaritza-paisaiak. Paisaia naturalak eraldatu zituzten lehenengo giza jarduerak nekazaritza eta abeltzaintza izan ziren. Horretarako, baso-mozketak egin zituzten, eta hartara, egurra lortu zuten, eta laborantzarako sailak eta larreak prestatu zituzten.

Batzuetan, ezin dugu elementu artifizialik bereizi paisaia horietan, baina gizakiaren esku-hartzearen emaitza argi eta garbi ikus dezakegu: bideak; forma ordenatuak edo ongi zehaztuak dituzten laborantza-sail handiak; baratze-mailak, maldak dituzten eremuetan laborantza errazte aldera, etab.

Industriek paisaia industrialak osatzen dituzte.

Paisaia industrialak. Lantegiek eta industriarekin zerikusia duten elementu guztiek paisaia industrialak osatzen dituzte, bai eta energia elektrikoa sortzeko zentralek, hura banatzeko sareek eta garraiobideek ere (errepideak, autobideak, trenbideak, portuak, etab.).

Hiri-paisaiak. Hiri-paisaietan, eraikinak eta komunikabideak dira nagusi. Hirietan hori gertatzen da, baina biztanleria biltzen den beste leku batzuetan ere gauza bera gertatzen da.

Herriek hiri-paisaiak osatzen dituzte.

Ingurunearen suntsiketa eta biodibertsitatearen galera

Giza jarduerek ingurunea aldatzen dute, eta ekosistemak suntsitzen dituzten eta animalien eta landareen espezieak desagerrarazten dituzten aldaketak eragiten dituzte. Aldaketa horietako batzuk hauek dira:

Sua basogabetzearen arrazoietako bat da.

Basogabetzea. Lurreko landaredi-estalkiaren gainazalaren galera da; baso-mozketaren edo suteen ondorioz gertatzen da. Basoen suntsiketak ondorio negatiboak ditu; esate baterako, ekosistema horretan bizi diren izaki bizidunen espezieak desagertu egiten dira, edo **planetako klima aldatu egiten da.**

Gehiegizko baso-mozketak eragindako basogabetzeak basamortutzea ekar dezake.

Basamortutzea. Landarediak lurzoruko partikulak finkatzen ditu eta urari eusten dio. Lurreko eremu batzuetako landaredia suntsitzean, basamortuak handitzea da. Basamortutzeak eragin negatiboak ditu; adibidez, biodibertsitatearen galera, eta uzta eta laborantzena.

Biodibertsitatearen galera. Espezieen barietateak eta giro naturalak murriztea da. Espezie bat desagertzeak aldaketak eragiten ditu hura bizi zen ekosisteman.

Erleen desagerpen masiboak biodibertsitatea mehatxatzen du.

Baliabideen erabilera eta kutsadura

Giza ekintzaren ondorioz, ingurumenak jasaten dituen beste eragin negatibo batzuk baliabideen gehiegizko ustiatzea eta kutsadura dira.

Baliabideak gehiegi ustiatzea

Baliabide bat **gehiegi ustiatzeak** esan nahi du baliabide hori haren birsortzeko gaitasunaren gainetik kontsumitzen edo erabiltzen dugula.

Adibidez, arrain bat haren ugaltzeko gaitasuna baino kantitate handiagoan harrapatzen bada, desagertu egingo da.

Gauza bera gertatuko da petrolioarekin edo gasarekin; izan ere, inoiz bukatuko ez balira bezala erauzten dira, hamarkada gutxi barru agortuko direla jakin arren.

Arrantzaren egungo erritmoak ez die leheneratzen uzten itsas espezieei.

Gehiegizko arrantza. Mundu osoko arrantza-eremuak krisian daude. Arrantzan gaur egungo erritmoan jarraituz gero, espezieei leheneratzeko astirik eman gabe, eta itsas hondoak kaltetzen dituzten arrantza industrialeko metodoak erabiltzen jarraituz gero, gerta daiteke etorkizun hurbilean zenbait itsas espezie desagertzea.

Legez kanpoko arrantzak, egin ezin den lekuetan edo debekatutako garaietan egiten denak, eta oraindik ugaldu ez diren ale gazteen arrantzak ere itsasoaren leheneratzea kaltetzen dute eta haren etorkizuna konprometitzen dute.

Egungo energia-eredua erregai fosilen kontsumoan oinarritzen da, batik bat.

Erregai fosilen gehiegizko ustiaketa. Gaur egungo energia-eredua erregai fosilen kontsumoan oinarritzen da, batik bat (%97). Energia-iturri horiek kutsatu egiten dute eta ez dira berriztagarriak. Petrolioak 45 urte iraungo duela kalkulatu da; gas naturalak, beste 65 urte, eta ikatzak, beste 230 urte. Arazo horri aurre egiteko, neurriak hartu behar dira; adibidez, kontsumoa murriztea, eta energia berriztagarrien iturri berriak garatzea eta erabiltzea.

Hondakinak eta kutsadura

Giza jarduerak **kutsadura**-arazoak eragiten ditu ingurumenean, **hondakin-kantitate** handiak sortzen dituelako. Kutsadura horrek aldaketak eragiten ditu ingurune fisikoan, eta aldaketek izaki bizidunei eragiten diete.

Airearen kutsadura. Industriek eta ibilgailu motordunek isurtzen dituzten gasen eta partikulen ondorioz sortzen da.

Ibilgailu motordunek airea kutsatzen dute.

Uraren kutsadura. Ibaietara eta itsasora isuritako hondakinek sortzen dute. Isurketak industrietatik, estolderiatik, haztegietatik eta nabigaziotik datoz, batik bat.

Hondakinen isuriak ura kutsatzen du.

Lurzoruaren kutsadura. Lurzoruan pilatzen diren hondakinek eragiten dute. Nekazaritzan erabiltzen diren ongarriek eta pestizidek sortzen dute, batik bat. Kutsadura hori lurpeko uretara igaro daiteke.

Lurzoruko hondakinak lurpeko uretara igaro daitezke.

Pertsonak eta ingurunea

Ingurumen-arriskuak

Ingurune naturalak arriskuak dakarzkie gizakiei; baina, batzuetan, arrisku horiek handitu egiten dira, ingurunea aldatzen duten giza jardueren ondorioz. Ingurumen-arriskuen inpaktua murrizteko modu onena prebentzioa da.

Arriskuen jatorria

Fenomeno natural baten ondorioz edo giza ekintzaren ondorioz ingurumenean kalte bat edo hondamendi bat gertatzeko aukerari **ingurumen-arrisku** deritzo.

Arrisku naturalak

Kausa naturalak dituzten arriskuak **fenomeno meteorologikoek** (euri-jasak, uholdeak, zikloiak, urakanak...) edo **agente geologikoek** (lurrikarak, sumendien erupzioak...) eragindakoak dira.

Giza ekintzak sortutako arriskuak

Ohikoenak instalazio industrialen **funtzionamendu txarrak** edo energia ekoizteko prozesuek (ihesak edo zirkuitulaburrak) eragiten dituzte. **Arduragabekeriak** eragindako arriskuak (hondakinak isurtzeagatik gune naturalak kutsatzea) edo **nahita egindakoak** (baso-suteen zati handi bat) ere badaude.

Etxebizitzen eta azpiegituren eraikuntzako **planifikazio txarrak** ere arriskuak sortu ditzake. Adibidez, ibai baten ibilgua urpean gelditu badaiteke, eta bertan etxebizitzak eraikitzen badira, ibaian ur-goraldi handi bat gertatzen bada, kalte larriak eragingo ditu.

Gure ingurune zabaleko baso-suteen ia % 80 gizakiak sortzen ditu; hau da, arduragabekeriaren, istripuen edo asmo txarren ondorio dira.

2011. urtean, lehenik eta behin, lurrikara bat gertatu zen Japonian, eta ondoren, tsunami bat. Biktima ugari eragin zituzten. Japoniako eraikuntza asko lurrikarei eusteko prestatuta egon arren, tsunamiak sortutako olatuaren magnitudeak babes guztiak gainditu zituen, eta herri osoak suntsitu zituen. Bereziki larria izan zen uharteko zentral nuklearretan izan zuen eragina. Fukushima hiriko zentralean, esate baterako, erradiazio-ihesak gertatu ziren, eta horren ondorioz, milaka pertsona ebakuatu behar izan zituzten. Alarma nuklearra garrantzitsua izan zen mundu-mailan.

Prebentzioa

Ingurumen-arriskuetatik eratorritako ondorioak ekiditeko modu onena prebentzioa da; hau da, gertatu aurretik arriskuak eta haien eraginak minimizatuz jardutea.

Oinarrizko prebentzio-jarduera batzuk hauek dira:

- **Ingurumen-aldaketak ekiditea.** Basogabetzeak, adibidez, euriteen edo uholdeen ondorioak larriagotzen ditu, lur-irristaketak errazten dituelako.
- **Arrisku-eremuak ekiditea.** Hau da, arriskuren bat gertatzeko probabilitate handiko lekuetan bizigunerik ez ezartzea; adibidez, eremu sismikoetan, urpean geratzeko arriskua duten ibaien ibilguetan edo sumendi aktiboen hurbileko eremuetan.
- **Eraikuntzak** arrisku naturaletara **egokitzea,** euri-jasa gogorrei edo mugimendu sismikoei eusteko gai diren eraikinak edo azpiegiturak eraikiz, esate baterako.
- **Arrisku batzuk aurreikustea** (zikloien etorrera edo sumendien erupzioak, adibidez) teknologiaren laguntzarekin, eta biztanleria babestea.

2021eko irailaren 19an, La Palma uharteko Cumbre Vieja sumendia erupzioan hasi zen. Kalte eta galera materialak ugariak izan arren, teknologiari eta zientzialarien prebentzio-lanari esker, populatutako eremuak ebakuatzeko aukera izan zuten.

Airearen kalitatea etengabe neurtu zuten, eta hartara, segurtasun-eremuak finkatu zituzten uharteko pertsonentzat.

Pertsonak eta ingurunea

Ingurumena zaintzea

Pertsonen ardura da ingurumena osatzen duten elementu guztiak errespetatzea eta babestea, giza jarduerak sortzen duen ingurumen-inpaktua murriztuz.

Garapen jasangarria

Egungo garapen- eta kontsumo-ereduak bi arazo ditu: baliabide natural batzuk agortu egingo direla aurreikusten da eta ingurumena hondatzen ari da. Egoera honi ezin zaionez luzaroan eutsi, beharrezkoa da eredu berri bat bilatzea.

Papera birziklatzeak paper berria ekoizteak sortzen duen inpaktua murrizten du.

Garapen jasangarria da gaur egungo beharrak asetzeko gai dena, etorkizuneko belaunaldien baliabideak eta aukerak konpromititu gabe.

Jarduera jasangarri bat da, adibidez, baso bateko zuhaitzak moztea, baina basoberritzea bermatuz. Petrolioa kontsumitzea, aldiz, ez da ekintza jasangarri bat; izan ere, ezinezkoa da petrolioa berriro ere ekoiztea.

Pila kargagarri batek erabili eta botatzeko hirurehun pila ordezka ditzake.

Baliabide naturalak mugagabeak balira bezala ez kontsumitzen ikasi behar dugu. Aitzitik, birsortzeko duten gaitasunaren arabera kontsumitu behar ditugu. Eta gure jarduerekin ingurumenari kalterik ez egiten ere ikasi behar dugu.

Hondakinak bereizteak birziklatzea errazten du.

Botere publikoen jarduera

Egungo egoeraren aurrean, zenbait gobernu, instituzio eta elkartek ekimen batzuk jarri dituzte abian, ingurumena zaintzeko eta mundu hobe baten alde lan egiteko:

- **Kontsumo arduratsua sustatzea,** zer baliabide ditugun jakinda.
- Agente kutsatzaileen **isuriak mugatzea.**
- **Ekosistemak** eta haietan bizi diren izaki bizidunak **babestea,** espezie babestu batzuen ehiza edo bilketa eta salerosketa arautzen edo debekatzen duten legeak eginez.
- **Naturagune** babestuak **sortzea** eta zaintzea. Gune horietan, giza jarduera batzuk mugatuta egongo dira.
- Suntsitutako paisaiak **landareen edo animalien espezieekin birpopulatzea.** Adibidez, zuhaitzak birlandatzea, moztutako edo erretako baso bat berriz hazteko, edo desagertutako espezieak sartzea.
- **Ingurune naturalarekiko ezagutza eta errespetua hedatzea,** irakaskuntzaren eta zabalkunde publikoaren bidez.
- **Munduko desberdintasun-egoerak aldatzea,** elkartasunaren bitartez eta herrialde eta sektore pobreenei laguntza ekonomikoak emanez, oinarrizko osasun-zerbitzuak hobetzeko, energia eskuratzeko hobekuntza teknikoak sartzeko, elikagaien ekoizpena sustatzeko, etab.

Ebroren delta naturagune babestua da.

Kanpainek zenbait gairi buruzko kontzientzia hartzen laguntzen dute.

Nazioarteko erakunde batzuek (FAOk, adibidez) munduko gosea murrizteko ahaleginak egiten dituzte.

Garapen jasangarrirako proposamen bat **urrezko arauak** dira:

- Baliabide naturalen kontsumoa **murriztea** eta ez xahutzea.
- Gauza zaharrak edo hautsita daudenak **konpontzea,** berriak erosi aurretik.
- Lehendik erabilita dagoena baina beste pertsona batentzat edo beste helburu batekin oraindik erabil daitekeena **berrerabiltzea,** bigarren bizitza bat emanez.
- Jadanik erabilita dauden eta berrerabili ezin diren objektuen materialak (beira, papera, metalak, plastikoak, etab.) **birziklatzea.** Beirazko ontzi batzuk fabrikara itzul daitezke, garbitu ondoren berriro erabiltzeko.

Jarduerak

1. Pertsonok hiru baliabide-mota desberdin lortzen ditugu ingurunetik. Jarri adibide bana.

elikagaiak | lehengaiak | energia

2. Aukeratu instalazio hauetako bat, eta azaldu zer den eta zertarako erabiltzen dugun.

3. Nola bihurtzen da paisaia natural bat paisaia gizatiartu? Azaldu, adibide baten bitartez.

4. Ikertu zer den berotegi-efektua, eta zer harreman duen klima-aldaketarekin.

5. Idatzi planetaren kutsadura bizkortzen laguntzen duten bost ekintza, gutxienez.

6. Bi paisaia hauetako zein da naturala eta zein gizatiartua? Arrazoitu.

7. Lotu kontzeptu bakoitza dagokion definizioarekin. Ondoren, azaldu zer ondorio dituen bakoitzak naturan.

Basogabetzea - Basamortutzea - Biodibertsitatearen galera

— Lurreko eremu batzuetan basamortuek aurrera egitea.

— Mozketaren edo suteen ondorioz, Lurreko landaredi-estalkiaren gainazalaren galera.

— Izaki bizidunen espezieen eta giro naturalen barietateen galera.

8. Azaldu zertan diren antzekoak eta zertan desberdinak gehiegizko arrantza eta hondakin fosilen gehiegizko ustiatzea.

9. Badakizu giza jarduerak kutsadura-arazoak sortu ditzakeela ingurumenean, dela airean, uretan eta lurzoruan. Nola lagundu dezakezu zuk hiru kutsadura-mota horiek ekiditen? Azaldu.

Historia: iragana ezagutzea

Denboraren joana

Denboran atzera eginda, gure historia pertsonala ezagutu dezakegu, baita historia kolektiboa ere.

Historia lantzeko denbora-tarte luzeak erabiltzen ditugu, besteak beste, mendea eta milurtekoa.

Historia pertsonala eta kolektiboa

Iraganeko gertaerak eta beren protagonistak aztertzen dituen zientzia da historia.

Gertaerak askotarikoak izan daitezke: politikoak, sozialak, kulturalak... Eta protagonistak gertaera horiek bizi izan zituzten pertsonak dira (nekazariak, errege-erreginak, merkatariak, margolariak, etab.).

Normalean, historia kolektiboa da lantzen dena, hau da, gizarteen historia. Baina hortxe daukagu historia pertsonala, pertsona bakoitzaren historia.

Gure historia pertsonalaren parte dira oroitzapenak.

Bizitzan zehar gertatu zaigun guztia biltzen du **historia pertsonalak**.

Gertaera jakin batzuk berebiziko garrantzia dute gure bizitzan: jaiotzak, ibiltzen ikasi genuen egunak, ikastetxean hasi ginenekoak...

Gizakien **historia kolektiboak** milioika urte hartzen ditu. Denbora-tarte luze horiek zenbatzeko, mendea eta milurtekoa erabiltzen ditugu batez ere.

- Mendeak ehun urte ditu. Zenbaki erromatarrak erabiltzen ditugu mendeak zenbatzeko. Alegia, I. mendeak 1-100 urteak biltzen ditu; II. mendeak, 101. urtetik 200. urtera artekoak...
- Milurtekoak mila urte ditu (hamar mende). Tarte luzeagoak zenbatzeko baliatzen da.

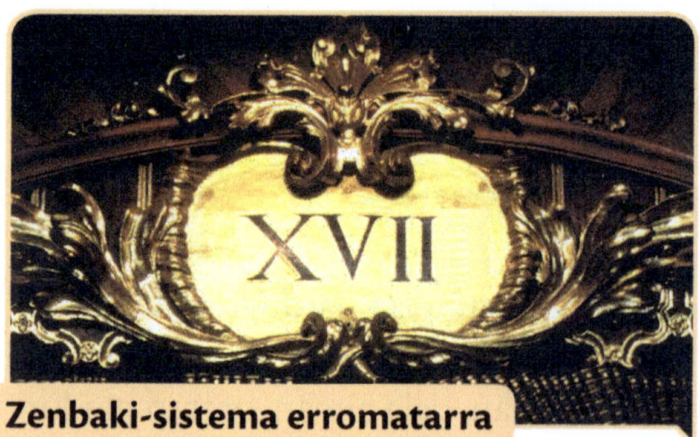

Zenbaki-sistema erromatarra

Hauek dira zenbaki-sistema erromatarraren zeinuak eta gure sisteman dituzten baliokideak:

I = 1	L = 50	M = 1000
V = 5	C = 100	
X = 10	D = 500	

Urteen zenbaketa

Kristau tradizioko kulturek Jesukristo jaio zen urtea aukeratu dute gizakien historia zenbatzeko erdigunetzat. Urte horri 1. urtea deitu diote, eta haren arabera banatzen dira...

Kristo aurreko urteak eta mendeak. 1. urtearen aurretik dauden urteak atzerantz kontatzen dira. K.a. laburdura erabiltzen da urte horiek adierazteko: Kristo aurretik. Hau da, Kristo jaio aurreko urtea K.a. 1. urtea da; urte horren aurrekoa, aldiz, K.a. 2. urtea, etab. Gure kulturan ez dago 0 urterik.

Kristo ondoko urteak eta mendeak. 1. urtearen ondoren datozen urteak aurrerantz zenbatzen dira. Kristo aurreko urteekin nahastea posible den datuetan, zenbakia baino lehen K.o. laburdura jartzen dugu: Kristo ondoren.

Mendeak ere modu berean zenbatzen ditugu, alegia, Kristoren aurretik ala ondoren.

Kristau tradizioan, Kristoren jaiotzak markatzen du 1. urtea.

Urteak kontatzeko beste moduak

Kultura guztiek ez dituzte urteak modu berean zenbatzen. Esaterako:

Kultura **islamiarrean,** kristau tradizioaren 662. urtea da 1. urtea.

Kultura **juduan,** kristau tradizioaren K.a. 3760. urtea da 1. urtea.

Kultura **txinatarrean,** kristau tradizioaren K.a. 2697. urtea da 1. urtea.

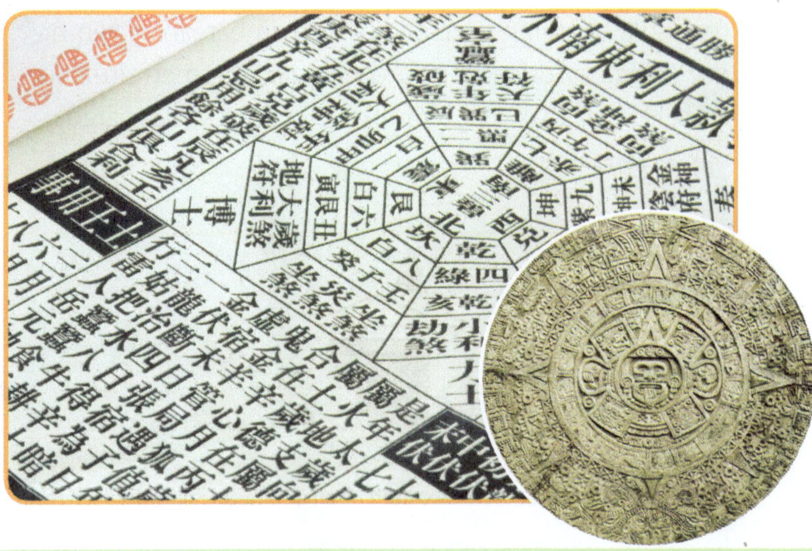

Historia: iragana ezagutzea

Iragana ikertzen

Objektu eta dokumentu jakin batzuek gure iraganaren berri ematen digute, eta beste aroetako bizimodua nolakoa zen ulertzen laguntzen digute gainera. Beraz, historia ezagutzen eta ikertzen laguntzen digute objektu eta dokumentu horiek.

Iturri historikoak

Iraganeko bizimoduaren eta gertakizunen berri ematen diguten elementu guztiak dira **iturri historikoak.** Iraganeko protagonisten berri ematen diguten bitxiak, jantziak, eskutitzak, argazkiak...

Iturri historikoen esparruan, hiru talde bereizten ditugu: **ahozkoak, dokumentalak** eta **ondarezkoak.**

Ahozko iturriak. Gertaera historikoak bizi izan dituzten pertsonen testigantzak dira. Ahozko iturrien artean badira bizipen pertsonalak, ipuinak, abestiak, kondairak, etab.

Gaur egun, iturri horiek erregistratu egiten dira gal ez daitezen.

Iturri dokumentalak. Talde honetan sartzen ditugu dokumentu idatziak (eskutitzak, aldizkako argitalpenak, liburuak, etab.), ikus-entzunezko grabazioak (pelikulak, bideoak, DVDak, etab.) eta dokumentu grafikoak (mapak, argazkiak, etab.).

Ondarezko iturriak. Objektu hauek ematen digute jakitera nola bizi ziren pertsonak aro jakin batean. Haien bidez dakigu zertan egiten zuten lan, zer sinesmen zituzten, etab. Horrelakoak dira zeramika-piezak, tresnak, margolanak, eraikinak, etab.

Ahozko iturri jakintsuak dira aitona-amonak.

Liburua iturri dokumentala da.

Erromatarren aztarnak ondarezko iturri bikainak dira gure historia aztertzeko.

Lehen eta bigarren mailako iturri historikoak

Iturri historikoen bidez jakin dezakegu nolako bizimodua zuten herriek aro batean ala bestean. Iturri horiek lehen eta bigarren mailako iturritan ere sailkatzen ditugu.

Lehen mailako iturriak

Aztertzen ari garen aro historikotik datozenak: jantziak, txanponak, zeramikak, tresnak, orduko pertsona baten egunerokoa, margolanak...

Bigarren mailako iturriak

Geroago egin ziren, lehen mailako iturriak aztertu ostean. Adibidez, gaur egungo liburu batean, lehen mailako iturrien informazioa baliatuta, Erdi Aroko gaztelu baten marrazkia edo Antzinaroko inperioen mapa jar dezakegu. Horiek liratekc bigarren mailako iturriak.

Iraganaren ikerketa antolatzeko asmoz, aro handitan banatu da historia, eta data batzuk finkatu dira aro batetik bestera doan bidea adierazteko.

Historiaren aroak

Historialariek garai edo aro historiko handitan banatu dute historia: Historiaurrea, Antzinaroa, Erdi Aroa, Aro Modernoa eta Aro Garaikidea.

Banaketa horiek beharrezkoak dira, hain zuzen ere, gizakien bizimodua eta mundua antolatzeko modua desberdinak direlako aro batetik bestera.

Historiaurrea. Lehen gizakiekin jartzen da martxan (duela 2,5 milioi urte inguru) eta **idazketa asmatu arte** irauten du (K.a. 3000 . urte inguruan). Aro historikorik luzeena da.

Goitik beherako eraldaketa gertatu zen **nekazaritza** eta **abeltzaintza** garatu zirenean.

Antzinaroa. Idazketa asmatzean hasi eta **mendebaldeko inperio erromatarra erortzean** amaitzen da (K.o. 476).

Aro horretan garatu ziren **lehen zibilizazio handiak,** tartean, Egipto, Grezia edo Erroma. Esklaboen lanean oinarritu ziren haietako asko.

Erdi Aroa. Mendebaldeko erromatar inperioaren erorketatik Kristobal Kolon Amerikara iritsi arte (1492).

Europan, nobleenak ziren lurrak, eta nekazariek lantzen zituzten haien babesaren truke. Gizartea antolatzeko modu horri **feudalismo** deitzen diogu.

Data sinbolikoak

Aro historiko batetik bestera gertatzen diren aldaketak ez dira bat-batekoak. Alderantziz, eraldaketa mantsoak izan ohi dira, biztanleek pixkanaka-pixkanaka onartzen dituztenak.

Halere, zenbait data jakin erabili dira aro batetik besterako igarobidea zehazteko, gertaera garrantzitsuen datak hain zuzen. Horiek dira guretzat **data sinbolikoak.**

Data sinbolikoa da, adibidez, 1492ko urriaren 12a, Kristobal Kolon Amerikara heldu zen eguna.

Aro Modernoa. Kristobal Kolon **Amerikara heltzean** jartzen da martxan eta **Frantziako Iraultzarekin** bukatzen (1789).

Hauxe da lur berriak **aurkitzeko** garaia. Baita **Europako inperio handiak** sortu ziren garaia ere. Monarka autoritarioak ziren jaun eta jabe, eta mundu osoan barrena berenganatu zituzten lurraldeak.

Aro Garaikidea. Frantziako Iraultzatik gaur egunera arte doan aroa.

Aro Garaikidean **iraultza** ugari gertatu ziren. Eraldaketa sozial eta ekonomiko horiei esker ugaritu ziren biztanleen **eskubideak eta askatasunak.** Bestalde, **aurrerapen teknologikoek eta zientifikoek** nabarmen hobetu zituzten bizi-baldintzak.

Gaur egungo mundua. Komunikabideen eta garraioen aurrerapena da gure garaiko ezaugarri nagusia. **Teknologiaren** bidez asko hobetu da bizimodua. Halere, oraindik alde galanta dago herrialde aberatsen eta pobreen artean.

Bidegabekeriaren eta pobreziaren aurka borrokatzea eta ingurumena zaintzea dira gure erronkarik handienak.

Historiak hainbat diziplina erabiltzen ditu iragana aztertzeko. Besteak beste, arkeologia, paleografia edo numismatika ditugu haien artean.

Arkeologia

Gizakiek utzitako aztarnak lantzen ditu **arkeologiak:** hezurrak, tresnak, artelanak, eraikinak...

Diziplina horrek asko laguntzen digu iturri idatzirik ez daukagunean. Iturri idatziak bi arrazoirengatik falta daitezke: garai hartan oraindik ez zelako idazten (adibidez, Historiaurrean, idazketa asmatu aurretik) edo ez direlako kontserbatu.

Edozein aro historiko aztertzeko, arkeologoek **arkeologia-aztarnategietan** egiten dute lan. Leku horietan baitaude iraganeko arrastoak. Aztarnategietan **indusketak** egiten dira, hau da, kontu handiz ateratzen dira lur-geruzak, ikertutako objektuen gainean urteetan zehar pilatu direnak.

Atapuercako aztarnategian orain dela 1,2 milioi urteko gizaki baten arrastoak topatu dira.

Paleografia

Alfabetoak eta beste idazketa-formak ikertzen eta deszifratzen ditu **paleografiak.**

Funtsezko diziplina da inprenta asmatu aurretiko garaiak ikertzeko, alegia, XV. mendearen aurreko aroak aztertzeko.

Champollion egiptologo frantziarrak Rosetta harria erabili zuen hieroglifikoak deszifratzeko. Rosetta hirian (Egipto) aurkitu zuten harri hori 1799an.

Numismatika

Numismatikak txanponak aztertzen ditu.

Adituentzat oso iturri aberatsa da, izan ere, txanponek, oso iraunkorrak izateaz gain, data bat izaten baitute idatzirik. Ondorioz, txanponekin batera aurkitutako objektuak noizkoak diren jakin dezakegu zehatz-mehatz.

Txanponek informazio historiko aparta ematen dute.

Museoak, liburutegiak eta artxiboak

Iturri historiko gisa erabiltzen diren objektu ugari gordetzen dira **museoetan, liburutegietan, artxiboetan** edo **hemeroteketan.** Hantxe egoten dira adituen eskura.

Museoak

Ondare kulturalaren ondasunak gordetzen dituzte (zeramikak, txanponak, artelanak, etab.), herritarren eta ikertzaileen eskura egon daitezen.

Liburutegiak

Liburuak eta, gaur egun, beste motatako dokumentuak dituzte (aldizkariak eta egunkariak, etab.). Liburutegi batzuk herritarrak dira, denentzat prest daudenak. Baina badira ikertzaileentzat espezializatuak ere.

Artxiboak

Era askotako dokumentuak gordetzen dituzte (erakundeenak, enpresenak, aldizkako argitalpenak, mapak, argazkiak, etab.). Adituek erabiltzen dituzte batik bat.

Hemerotekak

Artxibo bereziak dira, aldizkako argitalpenak gordetzeko eta kontsultatzeko eginak. Bereziki, egunkariak eta aldizkariak gordetzeko.

Historia: iragana ezagutzea

Denbora-lerroa

Denbora-lerro izeneko tresna erabiltzen dugu gertaera historiko esanguratsuak beren tokian kokatzeko.

Zer da denbora-lerroa?

Denbora-lerroa edo ardatz kronologikoa denboraren irudikapen grafiko bat da, gertaera historikoak jazo ziren garaian kokatzeko balio duena.

Denbora-lerroan denbora-tarte jakin bat irudika dezakegu (egun bat, urte bat, mende bat) edota gizakiaren historia oso-osorik. Gauza bat hartu behar dugu kontuan horretarako: espazioak bat etorri behar du irudikatu nahi dugun tartearen iraupenarekin. Zer esan nahi du horrek? Ba, mapetan egiten dugun bezala, eskala bat finkatu behar dugula aurretik.

Idazketa asmatzen da, K.a. 3000.

Europa erdiko enperadore izendatzen du Karlomagnok bere burua, K.o. 800.

Kristobal Kolon Amerikara heltzen da, K.o. 1492.

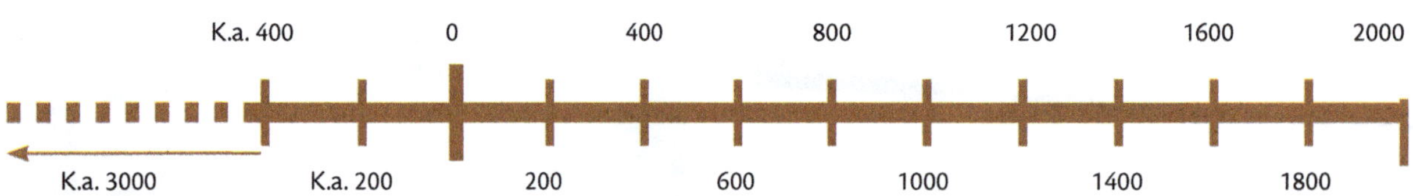

Erromatarrek Iberiar penintsula konkistatzen dute, K.a. 218.

Johannes Gutenbergek inprenta asmatzen du, K.o. 1454.

Gizakia lehen aldiz ilargian, K.o. 1969.

Nola irudikatzen diren grafikoki une historikoak

Gertaera jakin batzuen une historikoa grafikoki irudikatu nahi dugunean denbora-lerroa marrazten dugu.

Denbora-lerro bat egiteko urrats hauek eman behar ditugu:

1. Orrialde milimetratu bat hartu eta bi lerro paralelo marraztuko ditugu horizontalki, tartean espazio bat izan dezaten.

2. Eskala bat behar dugu denbora errealaren eta sortu dugun denbora-lerroaren artean.

   Adibidez: 100 urte = 0,5 cm.

   Espazioan banaketak egingo ditugu. Eskuinean irudikatuko dugu denborarik hurbilena, eta ezkerrean urrunena.

3. Aro historiko bakoitza kokatuko dugu bere urteetan, eta izena ipiniko dugu.
   - Historiaurrea: K.a. 3000. urtera arte. Ez da posible osorik irudikatzea, luzeegia baita aro hori.
   - Antzinaroa: K.a., 3000tik K.o. 476. urtera arte (V. mendea).
   - Erdi Aroa: K.o. 476. urtetik K.o. 1492. urtera arte (XV. mendea).
   - Aro Modernoa: 1492tik 1789ra (XVIII).
   - Aro Garaikidea: 1789tik gaur egunera arte.

4. Aro bakoitzari kolore desberdina eman.

5. Azkenik, izena jarriko diegu aro batetik besterako igarobidea adierazten duten data sinbolikoei.

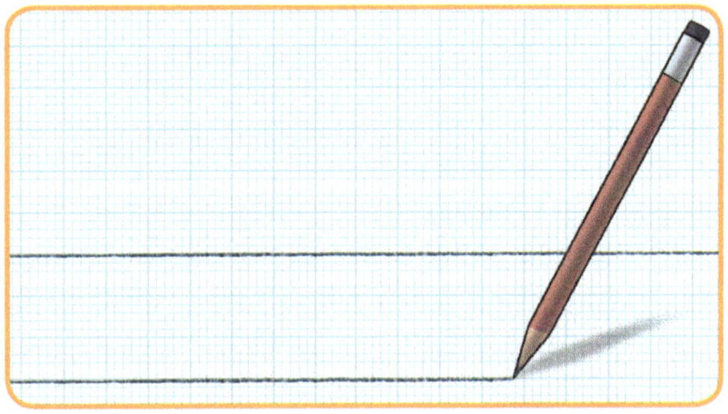

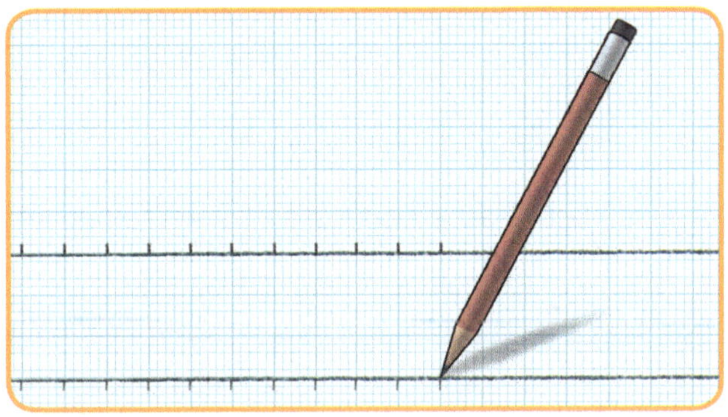

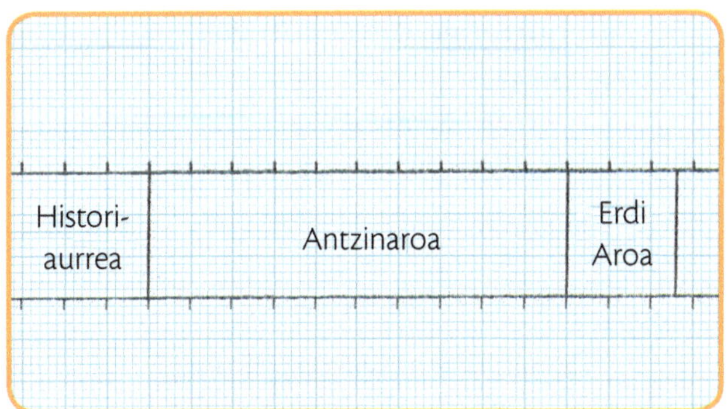

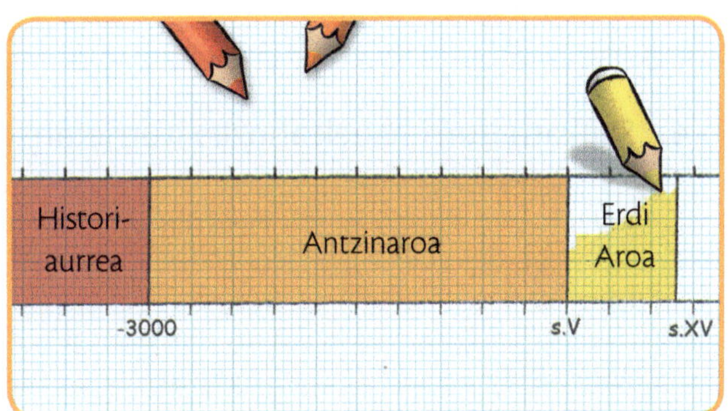

Jarduerak

1. Egin zerrenda bat zure historia pertsonala osatzen duten 10 elementurekin.

— Pentsatu: zer gertaerak markatu dute zure historia jaio zinenetik?

— Bilatu ahozko iturriak (hitz egin gurasoekin edo zure lehen urteetan aldamenean izan dituzun helduekin) eta iturri dokumentalak (aspaldiko argazkiak, antzinako etxerako lanak, marrazkiak…).

— Gauzatu poster bat jasotako informazioarekin.

2. Ikasgela kolektibo bat da, oso berezia gainera! Pentsatu nolakoa izan den zuen historia kolektiboa ikasten hasi zinetenetik. Galdera hauek erabil ditzakezue; eta proposatu beste galdera batzuk, zuen historia kolektiboa osatzeko baliagarriak izan daitezkeenak.

- Nola zuen izena haur hezkuntzako ikasgelak?
- Noiz ikasi zenuten irakurtzen eta idazten?
- Zer irakasle izan dituzue?
- Beti jolastoki berean aritu zarete orain arte?
- Zer kanpaldi egin dituzue batera?
- Zer ikasle heldu dira gelara geroago?

3. Adi hurrengo hiru egutegiei. Zer dira?

a. egutegi maia

b. antzinako egutegi egiptoarra

c. egutegi txinatarra

— Zertan dira antzekoak hirurak?

4. Sailkatu iturri hauek ahozko iturrietan, dokumentaletan eta ondarezkoetan:

karta	pelikula	mapa	liburua
ipuina	abestia	DVDa	anfora
aldizkaria	eraikina	argazkia	margoa

5. Adierazi iturri historiko hauetatik zein diren lehen mailakoak, zein bigarren mailakoak eta zergatik:

a.

b.

c.

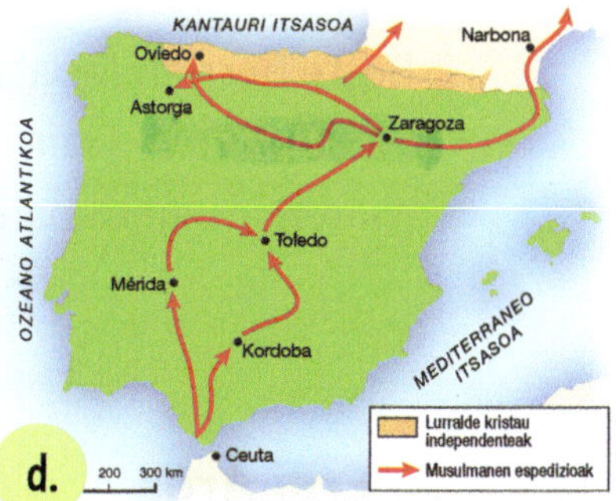

d.

6. Idatzi zure koadernoan zein diren historiaren aroak eta aro batetik besterako bidea adierazten duten datak.

7. Idatzi zer diziplinari dagokion iturri hauek aztertzea:

- Indusketa eta aztarnategi arkeologikoetako hezurrak, tresnak eta artelanak.
- Alfabetoak eta beste idazkerak.
- Garai eta leku desberdinetako txanponak.

8. Komentatu denen artean zergatik diren hain garrantzitsuak museoak, liburutegiak eta artxiboak.

9. Egin ardatz kronologiko bat xx. mendeko gertaera hauek erabilita:

Urtea	xx. mendeko gertaera historiko adierazgarriak
1903	motorrik gabeko lehen hegaldia
1920	irratiko lehen emanaldi komertziala
1935	lehen plastikoak
1969	gizakia llargira iritsi
1983	lehenengo telefono mugikorrak
1997	Sojourner, NASAk bidalitako lehen robota, Marte planetara iritsi
2010	lehen iPad-a

Atzera begira — Erdi Aroa

Beste herrien inbasioen poderioz, K.o. 476. urtean desegin zen Erromatar inperioa. Hain zuzen ere, urte horrek finkatzen du bai Antzinaroaren amaiera baita Erdi Aroaren hasiera ere.

Erdi Aroa

Erdi Aroak hamar mende (V-XV) hartzen ditu. Tarte horretan, erreinu, dukerri eta konderri askotan banatuta zegoen Europa. Erdi Aroa bi zatitan erdibitzen dugu:

- **Goi Erdi Aroa.** V. mendetik X. mendera.
- **Behe Erdi Aroa.** XI. mendetik XV. mendera.

Erromatar inperioaren erorketa

Antzinaroko azken urtetan, ahulduz joan zen Erromatar inperioa.

Armada ez zen inperioko mugak zaintzeko gauza, eta gero eta maizago sartzen ziren herri germaniarrak inperioko lurretan.

Egoera horrek **krisia** eragin zuen hirietan, eta jende ugari joan zen landara ihes. Erromatar aberatsek villak zituzten han, soro eta guzti. Eta nekazariak jaso eta armada txikiak sortu zituzten inbasioetatik babesteko. Krisia konpondu nahian, enperadoreak bi zatitan banatu zuen inperioa. **Mendebaldeko erromatar inperioa** eta **Ekialdeko erromatar inperioa** sortu ziren horrela.

Herri germaniarrak

Erromatar inperioaren ahuldadeari esker, errazago sartu ziren beste herriak bertara. Eta azkenean, 476. urtean zehazki, bere kargutik bota zuten mendebaldeko azken erromatar enperadorea.

Erromatarrek «barbaro», hau da, «atzerritar», deitzen zieten inperioaren mugetatik kanpo bizi ziren herri guztiei.

Barbaroak **herri germaniarrak** ziren, Europako erdialdetik zetozenak. Haien artean zeuden frankoak, bandaloak, sueboak, alanoak, bisigodoak eta ostrogodoak.

- **Frankoak.** Pirinioen iparraldera geratu ziren.
- **Ostrogodoak.** Italiar penintsula hartu zuten haientzat.
- **Sueboak.** Ipar-mendebaldea hartu zuten.
- **Alanoak.** Erdialdeko gunea hartu zuten.
- **Bandaloak.** Hegoaldean ezarri ziren.

Lehen inbasioaren ondoren, Erromak hitzarmena egin zuen bisigodoekin, sueboak, alanoak eta bandaloak Hispaniatik bidaltzearen truke.

Bisigodo-taldea Erroman lapurretan.

Hainbat herri germaniarren sarrera Erromatar inperioan.

Atzera begira

Bisigodoen erresuma

Bisigodoak v. mende hasieran sartu ziren Hispanian, eta, hainbat borrokaren ostean, alanoak eta bandaloak bertatik bidaltzea lortu zuten. VI. mendearen hasieran, **Bisigodoen Erresuma** eratu zuten. Monarkia independente horrek **Toledon** zuen hiriburua, eta bi mende inguru iraun zuen zutik. VI. mendearen amaieran, Leovigildo erregeak sueboak ere bidali zituen Hispaniatik, eta haien bizileku zen lurraldea gehitu zuen Toledoko erreinura.

Bisigodoen Erresuma VI. mendean.

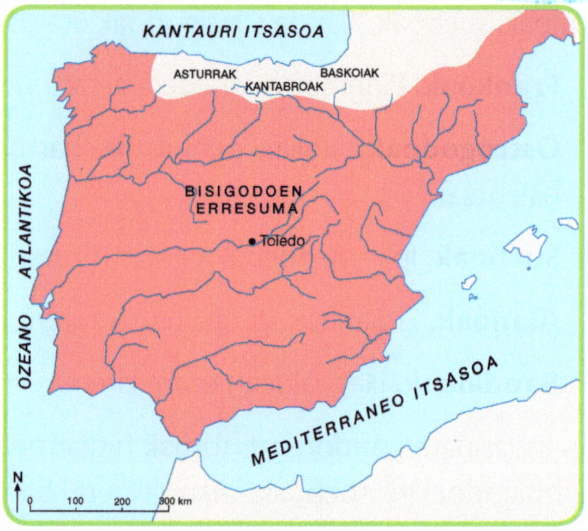

Bisigodoen Erresuma VII. mendean.

Honela antolatuta zegoen **Bisigodoen Erresuma:** erregea; **nobleak,** lur-eremu handien jabe eta oso boteretsuak zirenak; eta **nekazariak,** biztanle gehienak. Nekazaritza eta abeltzaintza ziren jarduera **ekonomiko** nagusiak.

Biztanle hispaniar-erromatarrekin alderatuta, askoz ere gutxiago ziren bisigodoak. Apurka-apurka, haien ohiturak berenganatu eta tradizio germaniarraren hainbat elementurekin uztartu zituzten.

Arteari dagokionez, urregintza eta arkitektura aipatu behar dira denen gainetik.

- **Urregintzan** metala (urrea bereziki) eta harribitxiak erabiltzen dira piezak egiteko. Piezarik arruntenak paparrekoak, fibulak (soinekoari eusteko orratzak), gurutzeak eta botozko koroak (erregeek Jainkoari eskaintzen zizkioten) izan ziren.
- **Arkitekturari** dagokionez, harrizko eliza txikiak egin zituzten. Horma lodiak zituzten, eta dekorazio xumea. Tenplu horietan ferra formako arkua baliatzen zuten.

San Juan de Baños eliza, Palentzia (VII. mendea).

Botozko koroa.

Atzera begira

Erdi Aroa. Al-Andalusen sorrera

Islamiarrek al-Andalus izena jarri zioten Penintsulako lurraldeari. Haiek menperatu zuten eremu hura 711. urtetik 1492. urtera arte.

Islamiarrak Penintsulan

Islamiar-talde batek Gibraltarko itsasartea igaro zuen 711. urtean, eta segidan Iberiar penintsulan barrena hedatu zen (iparraldeko gune menditsuetan salbu). Bisigodoak garaitu zituzten, ordura arte Penintsularen jabe zirenak. Halere, Pirinioak zeharkatuta, frankoek gerarazi zituzten. Eta hegoalderantz egin zuten islamiarrek.

Al-Andalus izena erabili zuten islamiarrek Iberiar penintsulako beren lurra izendatzeko. **Kordoba** izan zen hiriburua.

Mendebaldeko Europako kulturgune nagusia bihurtu zen hiri hori. Eta islamiarrek ia zortziehun urtez agindu zuten bertan.

Navas de Tolosako gudutik aurrera (1212), islamiarren menpeko lurrak ahulduz joan ziren; aldiz, iparraldean aske eutsi zioten kristauek gero eta lur gehiago menperatu zituzten. Azkenean, 1238. urtean, **Granadako Erresuma nazaria** baino ez zen geratu al-Andalusen barruan. Hura izan zen islamiarren azken erreinua kristauak 1492an penintsulaz jabetu arte.

Iberiar penintsularen konkista islamiarra.

Taifen erreinuak.

Kultura islamiarra

Erdi Aroko kulturarik aurreratuenetakoa izan zen islamiarrena.

- **Zenbaki-sistema arabiarra** sortu zuten –gaur egun oraindik erabiltzen duguna.
- Sekulako asmakuntzak ekarri zituzten Europara, tartean, **papera, bolbora** edo **iparrorratza.**
- Nekazaritza-teknika berriak garatu zituzten, batez ere, ureztatzeko **noriei** eta **ubideei** esker.

Atzera begira | Kristauen erresumak Erdi Aroan

Iparraldeko mendietan bazen erresistentzia-gune bat, hispanobisigodoez (kristauak) osatua. Biztanle haiek islamiarren kontra borroka egin zuten 722. urtean, **Covadongako guduan.**

Kristauek, **Pelayo** gidari zutela, garaipena eskuratu eta islamiarren lurralde osoa berreskuratzea hartu zuten helburutzat.

Hortik aurrera, bi erresuma sortu ziren Penintsularen mendebaldean: Leongo Erresuma eta Gaztelakoa.

Bitartean, frankoen eskuetatik askatu ondoren, Iruñeko Erresuma, Aragoiko Erresuma eta Kataluniako Konderriak eratu ziren mendebaldean.

Iberiar penintsula XI. mendearen hasieran.

Errekonkista

Kristau-erreinuek Penintsularen hegoalderantz zabaldu zituzten beren jabetzak, eta al-Andaluseko lurrak konkistatu zituzten. Prozesu historiko horri esaten diogu **Errekonkista.**

Prozesu hori burututa, lau gunetan banatuta geratu zen kristauen lurraldea:

- **Portugalgo** Erresuma.
- **Nafarroako** Erresuma.
- **Gaztelako** Erresuma.
- **Aragoiko** Koroa.

Iberiar penintsula XIII. mendean.

Errege-erregina katolikoak

Aragoiko Fernando II.aren eta Gaztelako Isabel I.aren arteko ezkontzaren ondorioz, koroa bakarrean elkartu ziren Penintsulako bi erreinu nagusiak.

Aragoiko Fernandok eta Gaztelako Isabelek, **Errege-erregina katoliko** izena jaso zutenek, lortu zuten kristauak Iberiar penintsula osora hedatzea. Haiek menderatu zuten 1492an islamiarren eskuetan zegoen azken lurraldea: Granadako Erresuma.

Atzera begira

Erdi Aroko une gorena eta krisia

XI. mendetik aurrera, gorakada ekonomikoari ekin zion Erdi Aroko Europak. Merkataritzaren eta hirien hazkunde ekarri zuen gorakada horrek. Halere, XIV. mendean krisialdia hasi zen, ehun urtetik gora iraun zuen krisialdi gogorra.

Hiriak eta merkataritza

Merkatuetan, produktu landuak eta elikagaiak trukatzen zituzten hirietako biztanleek eta nekazarlek.

Hiriek gero eta garrantzi gehiago eskuratu zuten XII. eta XIII. mendeetan zehar. Hein handi batean, artisautzaren eta merkataritzaren gorakadak eragin zuen hori.

Nekazaritza urtetik urtera produktiboagoa zen, eta nekazarientzat posible zen jadanik ekoizpenaren zati bat merkatuetan trukatzea. Bide batez, **lanbide espezializatuak** agertu ziren.

Artisauek, merkatariekin batean, klase herritar berria osatu zuten: **burgesia.** Jaun feudalen menpe ez zegoena.

XIV. mendeko krisia

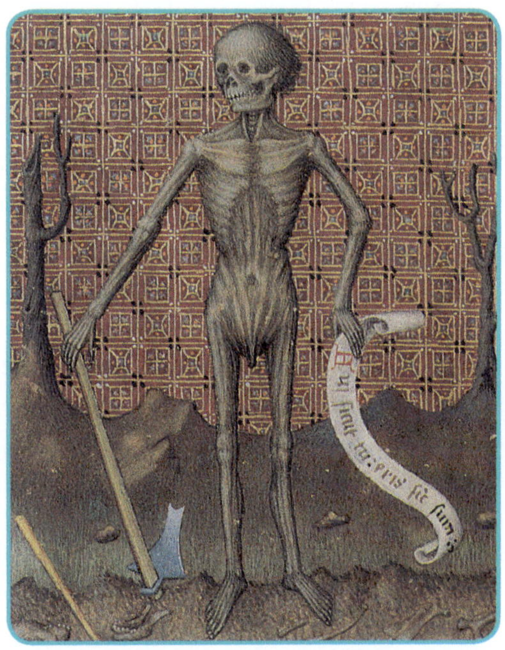

Garai emankorrak gehiegi igoarazi zuen biztanleria, eta, ondorioz, soroek ez zuten hainbeste jende elikatzeko adina ematen. Horrela piztu zen Erdi Aroko krisia. Gosea, nekazarien matxinadak eta izurri bubonikoa dira krisialdiaren bereizgarriak.

- **Goseak** biztanle pobreenei eragin zien batik bat.
- **Nekazarien matxinadak,** jaun feudalen aurkakoak, ugaritu egin ziren Europan.
- **Izurri bubonikoak,** gaixotasun geraezina orduan, milioika hildako eragin zituen kontinente osoan. Hirietan egin zuen kalte gehien, kutsatzea errazagoa baitzen baldintza higieniko txarrak eta biztanleen pilaketak zituzten lekuetan.

Atzera begira | Erdi Aroko gizartea

Kristau-erresumetako gizartea

Feudalismoa izan zen Erdi Aroko sistema sozial, ekonomiko eta politikoa.

Sistema horren barruan, lurralde edo **feudo** txikitan banatzen ziren lurrak, eta **noble batek** gobernatzen zituen. Noble edo jaun **feudalak** erregeren **basailu** bihurtzen ziren. Alegia, lurren truke, erregeri leial izateko konpromisoa hartzen zuten jaunek, baita gerran laguntzekoa ere.

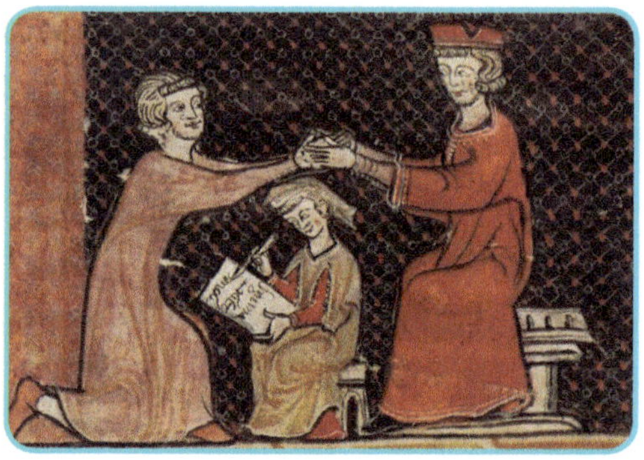

Leialtasun-zin baten bidez lotzen zen basailua bere jaunarekin. Hura zerbitzatzeko zin horri «omenaldi» deitzen zitzaion, eta gerran betetzen zen batik bat.

Gizarte feudala

Gizarte feudala hiru talde edo estamentu **sozialetan** banatzen zen:

- **Nobleak,** buru militarrak. Lurraldea eta bertako biztanleak babesten zituzten.
- **Kleroa,** monjeek eta apaizek osatua. Otoitz egitea eta ikastea ziren haien zereginak.
- **Herri xehea:** nekazariak, artisauak, merkatariak, etab. Jaun feudal baten babesa jasotzen zuten **hamarren** izeneko zergaren truke.

Erregea zen autoritate gorena, lurren jabea. Kristauen erresumetan, kristauak, juduak eta islamiarrak bizi ziren.

Elizaren eragina

Erdi Aroan zehar apartekoa izan zen **Elizaren** eragina. **Kristautasuna** bizitzako ia esparru guztietara zabaltzen zen, eta **monasterioak** bihurtu ziren Erdi Aroko kulturgunerik nabarmenenak.

Gizartea hein handi batean analfabetoa zenez, monjeez aparte oso jende gutxik zekien idazten eta irakurtzen.

Monasterioek lur-eremu handiak zituzten, eta jopuek egiten zuten lan haietan. Nekazariek harreman feudala zuten monjeekin.

Al-Andaluseko gizartea

Aniztasun handiko gizartea zen. Biztanle gehienek fede islamiarra zuten, eta bi zatitan banatuta zeuden:

- **Islamiarrak:** penintsulara iritsi zirenek osatzen zuten talde sozialik boteretsuena. Haiek zituzten goi-karguak, lurrik onenak eta armadako postuak.
- **Muladiak:** islam fedea hartu zuten biztanle hispaniar-bisigodo kristauak. Al-Andaluseko biztanle gehienak talde horretakoak ziren.

Islamiarrak biztanle ez-islamiarrekin batera bizi ziren. Azken hauek beren ohiturei eusten zieten, eta erlijioaren arabera kokatuta zeuden auzoetan:

- **Mozarabiarrak:** kristautasunari eutsi zioten biztanleak.
- **Juduak:** *judutegi* izeneko auzotan bizi ziren. Gutxiengo bat osatzen zuten juduek.

Biztanle gehienak **nekazaritzan** eta **abeltzaintzan** aritzen ziren. **Nekazaritza** oso emankorra izan zen, lurra landatzeko eta ureztatzeko sistemak garatu baitzituzten islamiarrek, noriak eta ubideak kasu.

Hiri andalustarrak ziren gune ekonomiko, kultural eta erlijiosoak. Artisautza eta merkataritza biziki garatu zen haietan. Hiriak **medinaren** inguruan antolatzen ziren, alegia, harresien barruko nukleoaren inguruan. Kale estuak zituzten, eta erdigunean agertzen ziren meskita, azoka (merkatua) eta bainugela publikoak. Lekurik altuenean kokatzen zuten alkazarra, agintarien bizileku zena.

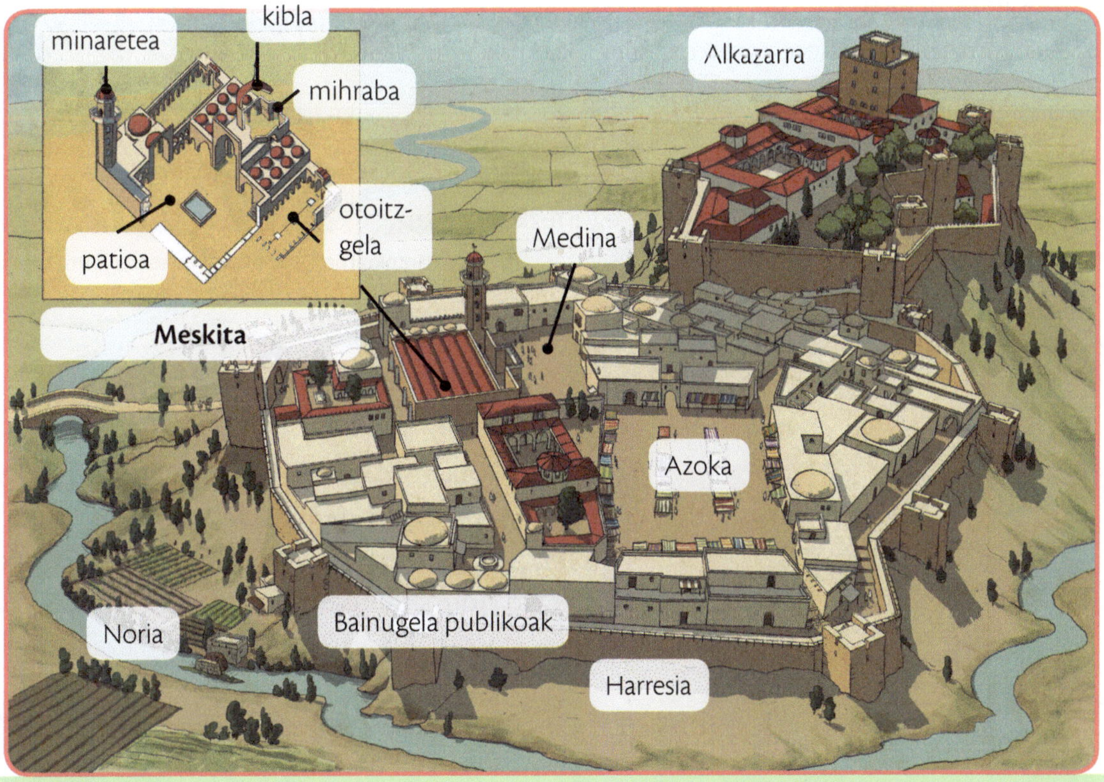

Atzera begira | Artea

Erdi Aroan zehar, hiru joera artistiko gailendu ziren Iberiar penintsulan.

Erromanikoa

Erdi Aroko artea landako artea da, bertan bizi baitziren biztanle gehienak.

- **Arkitekturan**, batez ere, eraikin erlijiosoak topatuko ditugu. **Monasterioa** da haietatik adierazgarriena.

  Ezaugarriak:

  — Eraikin mardulak, horma lodidunak eta leiho txikidunak. Hori dela eta, argi gutxi sartzen da barrura.

  — Ateek eta leihoek **erdi-puntuko arkua** dute.

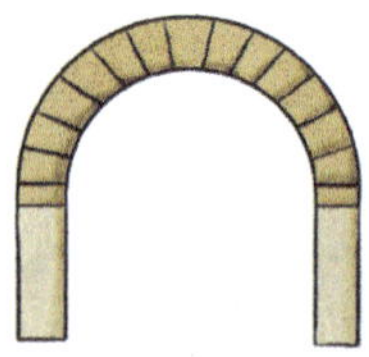

Erdi-puntuko arkua.

- **Pinturaren** eta **eskulturaren** bitartez, historia sakratuko pasarteak azaltzen zaizkie, gehienean, idazten eta irakurtzen ez zekiten biztanleei.

  — **Pinturan muralak** dira nagusi, elizak apaintzeko erabiltzen direnak. Ez dago perspektibarik, eta irudiak zurrunak eta kolore apalekoak dira. Hondoko elementuak falta dira, esaterako, paisaiak.

  — **Eskulturan** irudi erlijiosoak azpimarratu behar dira. Irudi zurrunak eta eskematikoak, besteak beste, **gurutziltzaketak** eta **eraisteak,** egurrezkoak ia beti.

Pantokratorra, Kristo unibertsoaren buru dela islatuz.

Arte islamiarra

Arte islamiarrean **arkitektura** nagusitu zen. Meskitak eta jauregiak batik bat. Pintura zein eskultura gutxi garatu ziren bitartean, kontrakoa gertatu zitzaion **mosaikoari**, eraikinetako hormetan eta zoruetan behin eta berriz erabili baitzen. Hona hemen arte islamiarraren ezaugarriak:

Gotikoa

Erdi Aroko artea den arren, hiritarra da. Izan ere, hirien, artisautzaren eta merkataritzaren hazkundearekin bat egin zuen gotikoak.

- Dudarik gabe, **katedrala** da **arkitektura** gotikoaren eraikinik adierazgarriena; baina palkoak, jauregiak eta ontziolak ere eraiki ziren garai hartan.

  Ezaugarriak:

  — Eraikin altuak eta lirainak, horma findunak. Eraikintza-teknikak hobetuz lortu zuten horrelako eraikinak egitea.

  — Irekidura handiak, **beiradun** leihoz edo **koloretako** arrosa-leihoz hornituak.

  — Ateek eta leihoek **arku puntaduna** dute.

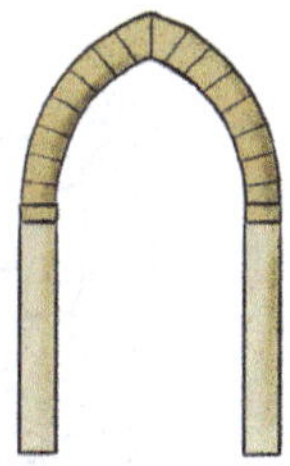

Arku puntadun

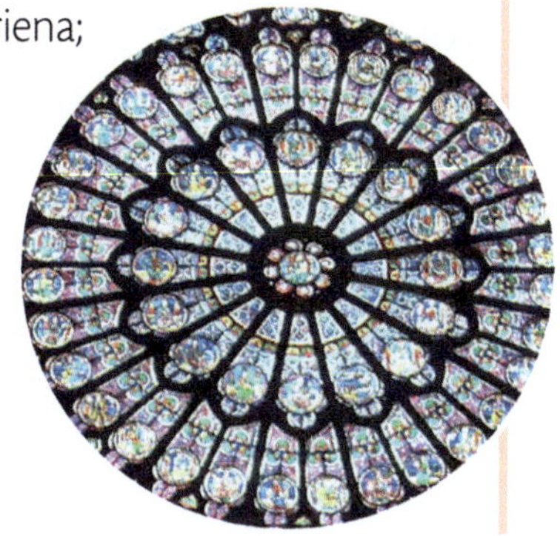

Arrosa-leihoek argiz betetzen dituzte katedral gotikoak.

- Katedraletan, kanpoaldean zein barrualdean, **eskulturak** daude apaingarri gisa. Eraikin erlijiosoetan paretak gutxitu zirenez, pintura murala ia ez zen landu. Haren ordez **erretaulak** eta egurraren gaineko pinturak ditugu ikusgai.

  Eskulturaren barruan, katedral gotikoek badute bereizgarri bat: **gargolak.** Euriaren ura kanporatzeko kanalak dira.

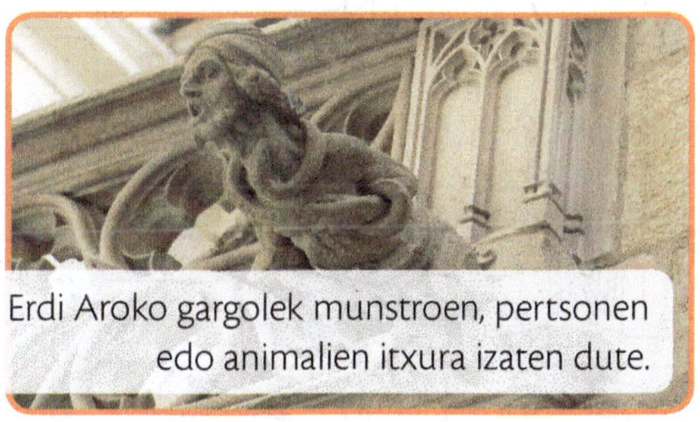

Erdi Aroko gargolek munstroen, pertsonen edo animalien itxura izaten dute.

- **Ferra-arkua** erabiltzen dute bisigodoen eraginagatik.

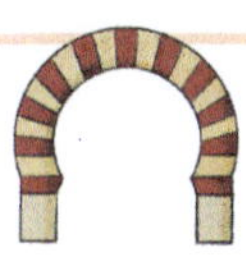

Ferra-arkua.

- **Material xumeak** baliatzen dituzte (buztina, igeltsua, egurra, etab.).
- Apaingarriei dagokienez, aipatzekoak dira elementu **kaligrafikoak, geometrikoak** (zirkuluak, hirukiak, zerrendak, etab.) eta **landare-elementuak** (hostoak, adarrak, etab.).
- **Igeltsulanak** (igeltsuz gauzatutako apaingarriak).

Atzera begira

Eguneroko bizitza Erdi Aroan

Erdi Aroan zehar, gazteluen eta monasterioen inguruan antolatzen zen bizitza.

Harresidun esparru handiak ziren **gazteluak.** Harresiaren inguruan urez betetako **zuloa** egon ohi zen, **zubi altxagarrien** bidez soilik gainditu zitekeena.

Uzta txarrek gosea eta heriotza-tasa altua eragiten zuten pobreenen artean.
Erdi Aroko oinarrizko elikagaia **garia** zen. **Okela** aurkitzea ez zen batere erraza, nekazariek zituzten animalia bakanak lurra lantzeko erabiltzen baitziren bereziki.
Gatza ezinbesteko produktua zen laborarientzat, izan ere, elikagaiak gazitzeko eta luzaroan kontserbatzeko baliatzen baitzen.

Komunitate erlijiosoak **monasterioetan** bizi ziren. Erdiko patio bat zuten, **klaustro** izenekoa, eta hainbat gela inguruan. Horietako bat, noski, **liburutegia** zen, irakaskuntza- eta ikaskuntza-guneak baitziren monasterioak. Kultura hedatzea zen haien lana.

Erdi Aroko nobleek **tunika luzeak** eramaten zituzten soinean. Askotan belus edo zetazkoak, izaten ziren eta gauza asko erabiltzen zituzten apaintzeko: urrezko botoiak, animalia exotikoen larruak, kapeluak...
Erdi Aroko zaldunak, gerrara joatean, **armadura** janzten zuten babesteko. 30 kilo pisatu zitzaketen.
Nekazariek eta artisauek artilezko **galtzamotzak** eta **alkandora** luzea erabiltzen zuten, haiek eginak gainera.
Monjeek tunika luzea eramaten zuten, **abitua,** kordoi batekin lotua.

Ferietan eta **merkatuetan** trukatzen ziren merkantziak. Merkatariek taldean bidaiatzen zuten, eta zamabereak erabiltzen zituzten gauzak garraiatzeko.
Erromesaldiek ere eramaten zituzten bidaiariak batetik bestera. Leku santuak bisitatzea zen bidaia horien helburua; Erroma, Jerusalem edo Santiago de Compostelara joatea, alajaina.
Itsasoko merkataritzak garapen handia izan zuen, batez ere, **galerei, ontziei** eta **itsasontziei** esker. **Ontziola** izena zuten itsasontziak eraikitzeko lantegiek.
Iparrorratza erabiltzea ohiko bilakatu zen.

Atzera begira — Aro Modernoa

Turkiarrek Konstantinopla, Ekialdeko erromatar inperioaren hiriburua konkistatu zuten 1453an. Gertaera horrek ekarri zuen inperioaren amaiera.

Turkiarrek Mediterraneoan indar handia zutenez, gero eta zailagoa zen itsaso horretan barrena espedizioak egitea. Beraz, ordura arte ezezagunak ziren lekuetara bideratu ziren erreinu asko.

Aro Moderno deitzen diogu 1492ko Amerikaren aurkikuntzan hasi eta 1789ko Frantziako Iraultzan bukatzen den etapa historikoari.

Europako monarkia absolutistek aurkikuntza geografiko ugari egin zituzten garai hartan, baita inperio kolonialak eratu ere.

Aro Modernoko eraldaketa handiak

Aldaketa handiak gertatu ziren **Aro Modernoan** zehar.

- **Teknikoak eta zientifikoak.** Asmakuntza handiek, tartean **inprenta** edo **teleskopioa,** goitik behera aldatu zuten mundua ulertzeko modua. Eta baliabide aproposak izan ziren lurralde berriak **deskubritzeko** eta **esploratzeko**.
- **Politikoak eta sozialak.** Sistema politiko berria sortuko da: **monarkia absolutuak.**
- **Kulturalak. Humanismoa** jaioko da, gizakia erdigunean kokatzen duen pentsamoldea. **Ilustrazioa**, arrazoiaren sustatzailea den joera, aro honetan sortuko da ere.
- **Erlijiosoak.** Iraganetik oinordetzan jasotako ideia erlijiosoak jartzen dira kolokan, eta bi bloketan banatuko da Europa: **protestanteak** batetik eta **katolikoak** bestetik.
- **Artistikoak.** Bi dira joera artistiko nagusiak: **Errenazimentua** eta **Barrokoa.**

Atzera begira

Amerikaren aurkikuntza

Amerikaren aurkikuntzak markatzen du Erdi Aroaren bukaera eta Aro Modernoaren hasiera.

Merkatu berrien premia

Erdi Aroaren amaieran bi gauza behar zituen gizarteak batez ere: **urrea,** txanponak egiteko; eta espeziak, okela kontserbatzeko.

Turkiarrak Mediterraneoan zeudenez, oso zaila zen produktu horiek ohiko bideetatik lortzea. Hori dela eta, Asiarantz joateko bide berriak bilatu zituzten Portugalek eta Gaztelak:

- **Portugaldarrek** Afrika inguratu zuten hegoaldetik.
- **Gaztelarrek** Lurra esferikoa izan zitekeela pentsatu zuten, eta ez laua Erdia Aroan irudikatzen zen bezalakoa. Ondorioz, mendebalderantz egin zuten itsasoz.

Amerika konkistatzera

Kolonek Lurra biribila zela uste zuen, eta posible zela Atlantikoa zeharkatu eta Indiara iristea. Horregatik, 1492an **Amerikan** lehorreratu zenean, Indiara heldu zela pentsatu zuen Kolonek. Horregatik eman zien lur haiei Indiak izena eta bertako biztanleei **indiar.** Lurralde horiek Gaztelako erreinuaren parte bilakatu ziren, izan ere, Isabel I.a erreginak ordaindu baitzuen bidaia.

Bi lurraldeentzat izan zen onuragarria kolonizazioa:

- Amerikak lehengai ugari ekarri zizkion Europari: **metal preziatuak** (urrea eta zilarra) eta **elikagai berriak** (patata, artoa, tomatea, kakaoa).
- Amerikara ere iritsi ziren ordura arte ezagutu gabeko produktuak, adibidez, **lekaleak, arroza, garia, zaldiak** edo **txerriak.**

Baina kolonizazioak ere izan zuen ondorio kaltegarririk. Amerikako indiarrentzat, bereziki:

- Biztanleriak beherakada nabarmena izan zuen Europatik eramandako gaixotasunen eta inbasio armatuen eraginez.
- Indiarren kultura galdu egin zen hein handi batean, ordutik aurrera espainiarren eragin kulturala nagusitu baitzen **hizkuntzan, artean** eta **erlijioan.**

Europarrak heldu baino lehen, bertako zenbait kultura oso garatuta zeuden Amerikan:

- **Aztekak,** Mexikon.
- **Maiak,** Erdialdeko Amerikan eta Mexiko hegoaldean.
- **Inkek** inperio izugarria zuten Andeetan.

Atzera begira

Monarkia hispanikoa

Amerikak ekarritako merkataritza-bide eta aberastasun berriei esker, botere handiagoa eskuratu zuten erregeek. Estatu berriak sortu eta lehiari ekin zioten inperio erraldoiak sortzeko.

Errege-erregina katolikoak

Gaztelako Isabel printzesa eta Aragoiko Fernando printzea 1469an ezkondu ziren. Ez zuten erreinu bakarra eratu, batak zein besteak bere mugei, legeei eta erakundeei eutsi baitzieten.

Aragoiko Fernando II .a eta Gaztelako Isabel I.a, Errege-erregina Katolikoak.

Ezkontza hori izan zen **monarkia hispanikoaren** jatorria. Errege-erreginak Estatu modernoa eratu zuten, monarkia autoritario batekin. Boteretsuago bihurtu ziren nobleen eta kleroaren aldean.

- Administrazio propioa jarri zuten martxan.
- Armada osatu zuten.
- Mundu osoan barrena zabaldu zituzten beren lurrak.
- Kristau ez zirenak jazarriz, erlijioa bateratu zuten **Inkisizioaren** eskutik.

Europako inperio handiak eta absolutismoa

Luis XIV.a borboikoak, Eguzki-erregeak, honela definitu zuen absolutismoa: «Estatua neu naiz».

Munduaren zatirik handiena berenganatu zuten Gaztelak, Portugalek, Herbehereek, Frantziak eta Ingalaterrak.

Nazioarteko merkataritzatik lortutako aberastasunei esker, monarkiak gailendu ziren jaun feudalen gain, eta **estatu moderno** bilakatu zituzten erreinuak. Administrazio oso antolatua, funtzionarioak eta armada iraunkorra sortu zituzten estatu haiek. Eta monarkia absolutu bihurtu ere bai

Monarkia absolutuaren bereizgarria hau zen: erregeak biltzen zuen bere baitan botere guztia.

Europako monarkia absolutu nagusiak **Habsburgo** eta **Borboi** dinastiek eratutakoak izan ziren.

Atzera begira

Monarkia absolutuak

Karlos I.a Gaztelakoa eta Aragoikoa eta Alemaniako V.a

Errege-erregina Katolikoen ondoren, haien biloba bihurtu zen errege: **Gaztelako eta Aragoiko Karlos I.a** (1516-1556). Habsurgotarren (edo Austrien) dinastiako lehen erregea izan zen Karlos.

1519. urtean izendatu zuten **Alemaniako Karlos V.a.**

Errege eta enperadore gisa, gatazka asko izan zituen mahai gainean.

Karlos I.ak hau guztia jaso zuen amaren aldeko aitona-amonen eskutik: Gaztelako eta Aragoiko Koroetako lurrak, Amerikako eta Mediterraneo itsasokoak barne.

Beste aitona-amonek, Austriako Maximilianok eta Borgoinako Mariak, Luxenburgo, Herbehereak, Konderri Frankoa eta Germaniar inperioaren tronua eman zizkioten.

Herentziaz gain, Milanen eta Mediterraneoan lur gehiago konkistatu zituen.

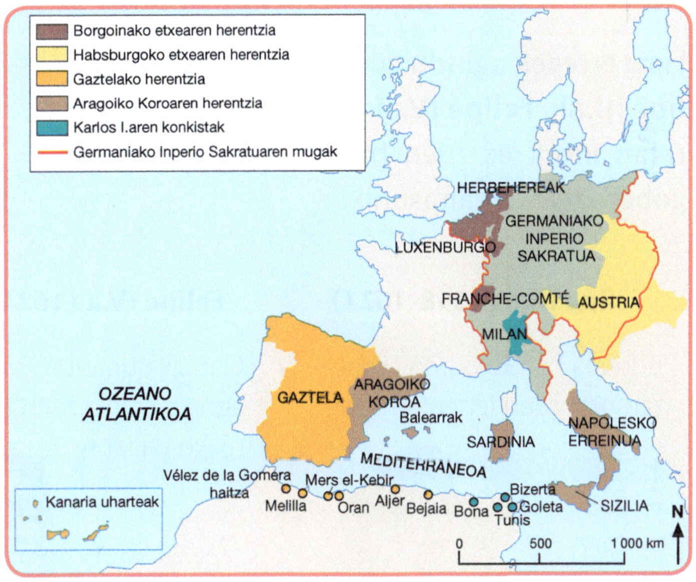

Felipe II.aren inperioa

Karlos I-aren atzetik bere seme Felipe II.aren txanda heldu zen. Alemania izan ezik, aitaren lur guztiak jaso zituen. 1580an **Portugalgo Erresuma** lortu zuen, haren Afrikako, Asiako eta Amerikako lurrak eta guzti. Inperio hispanikoa mundu osora zabaldu zen horrela. 1561ean Madril hartu zuen hiriburutzat.

Felipe II.a sutsuki aritu zen katolizismoaren alde. Haren erregealdian, Inkisizioak gogor jazarri zituen kristauak ez ziren sinesmenak.

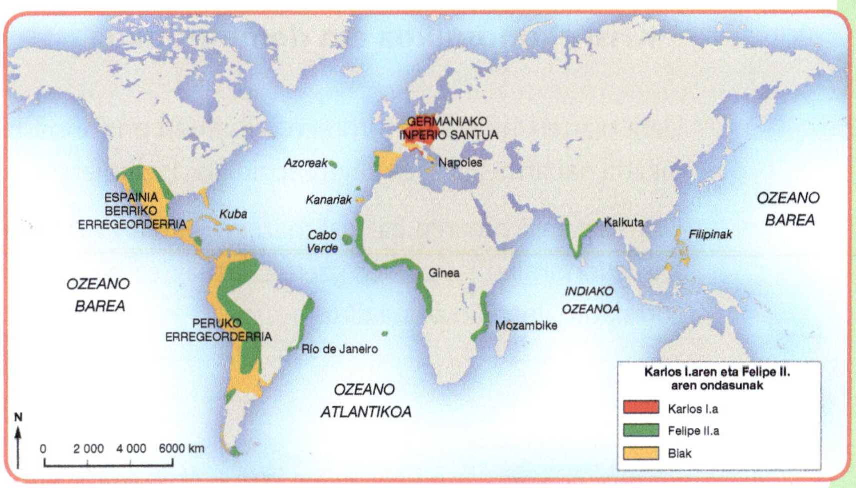

Atzera begira

XVII. mendeko gainbehera

XVI. mendean hedapen itzela izan ondoren, monarkia hispanikoak beherakada nabarmena jasan zuen XVII. mendean. Potentzia izaten jarraitzeko ahalegin ekonomiko eta militarrek agortu egin zituzten monarkiaren baliabideak. Are gehiago, Espainiak ezin izan zituen arazo ekonomiko, politiko eta sozialak gainditu, eta bere behin-betiko gainbehera sufritu zuen.

Hiru erregek agindu zuten XVII. mendean: **Felipe III.ak, Felipe IV.ak** eta **Karlos II.ak.** Hiruretan inork ez zuen hain inperio konplexua gobernatzeko gaitasunik.

Balidoak

Erregeen izenean agintzen zuten nobleak ziren. Konfiantza osoa ematen zieten erregeek, baina balidoek beren alde baliatzen zuten boterea. Lermako dukea eta Olivaresko konde-dukea izan ziren ezagunenak, Felipe III. aren eta IV.aren balidoak hurrenez hurren

D. Velázquez, *Gaspar de Guzmán, Olivaresko konte-dukea.*

Felipe III.a (1598-1621)

Boterea balido baten eskuetan utzi zuen lehen erregea.

Felipe IV.a (1621-1665)

Gatazka ugaritan sartu eta agortu egin zituen Espainiako baliabideak.

Karlos II.a (1665-1700)

Seme-alabarik gabe hil zenez, sekulako liskarra eragin zuen bere oinordetzak, baita Austrien dinastiaren amaiera ere.

Krisi ekonomikoa eta demografikoa

Uzta txarren, hirietako izurriteen eta gerren ondorioz, beherakada nabarmena jasan zuen Espainiako biztanleriak.

Horrez gain, Koroaren gastuak hazi eta hazi ari zirenez gero, krisi ekonomiko larria etorri zen, Estatuak ez baitzuen bere zorrak ordaintzeko adina diru.

B. E. Murillo, *San Diego de Alcalá pobreei jaten ematen.*

Atzera begira

Borboiak: dinastia berria

Karlos II.a erregea hiltzean, bi hautagai zeuden haren lekua hartzeko prest: Austriako Karlos artxidukea eta Frantziako Anjouko Felipe, Borboi dinastiakoa.

Karlos II.ak Anjouko Felipe izendatu zuen tronurako, eta **Felipe V.a** izenpean jaso zuen agintea. Horrela ipini zen abian **Borboien** dinastia.

Halere, Espainia eta Frantziaren arteko batasunen bat gerta ez zedin, Europako beste monarkiek Austriako Karlosi eskaini zioten beren babesa. **Oinordetza gerra** piztu zen ondorioz.

Gerra horretan erreinu hispanikoek ere hartu zuten parte: Gaztelak Felipe V.aren alde egin zuen; Aragoik, aldiz, Austriako Karlosen alde.

Utrechteko itunak (1713) ekarri zuen bakea, eta Felipe V.ak erregetza lortu zuen Frantziako koroari uko egitearen truke. Espainiak galdu egin zituen bere lur europarrak.

Felipe V.a eta absolutismoa

Felipe V.ak (1701-1746) ezarri zuen **gobernu absolutista,** Estatuko botere osoa erregearen eskuetan biltzen zuena. Arau edo lege guztien gainetik zegoen erregea, haren boterea Jainkoak emana zela uste baitzen.

J. Ranc, *Felipe V.a.*

Karlos III.a eta despotismo ilustratua

XVIII. mendean zehar, Ilustrazioa izeneko joera kulturala hedatu zen. Joera horren arabera, arrazoia eta zientzia ziren aurrerapena lortzeko bideak. Pentsamolde ilustratuaren eraginez hainbat **erreforma** gauzatu zituzten monarka absolutuek, eta agintzeko modu horri deitzen diogu **despotismo ilustratua.**

Herrialdea modernizatzeko asmoz, **Karlos III.ak** (1759-1788) esparru askotan aplikatu zuen despotismo ilustratua: nekazaritzan, industrian, merkataritzan, komunikabideetan, hezkuntzan eta kulturan.

A. R. Mengs, *Karlos III.a.*

Atzera begira

Aro Modernoko gizartea

Aro Modernoan zehar mantendu egin zen Erdi Aroko egitura soziala, baina burgesiaren kexak gero eta nabariagoak izan ziren. Pertsonaia berriak agertu ziren, besteak beste, bidelapurrak eta piratak.

Gizarte estamentala

Aro Modernoan bere horretan jarraitu zuen Erdi Aroko gizarte **estamentalak.**

- **Nobleek** eta **kleroak** osatzen zuten estamentu **pribilegiatua,** ez baitzuten zergarik pagatu beharrik. Haien jabetzen errentei esker bizi ziren.
- **Herri xehea** (nekazariak, artisauak, burgesak eta behe kleroa) zen estamentu **ez-pribilegiatua,** zorrak pagatu behar zituena. Gainera, ezin zuten kargu publikorik lortu.

Nobleak (estamentu pribilegiatua).

Nekazariak (estamentu ez-pribilegiatua).

Aberastasun-mailari dagokionez, estamentu bakoitzaren barruan baziren alde nabarmenak.

Herri xehearen baitan, esaterako, dezente aberasten ari zen **burgesia,** artisauek, langile profesionalek (medikuak, abokatuak, etab.), merkatariek eta bankariek osatzen zuten talde. Burgesiak aberastasuna sortzen zuen arren, monarkiaren eta nobleen eskuetan zegoen boterea oraindik. Hori dela eta, burgesiak gero eta gutxiago onartzen zituen gobernu absolutistak.

Bidelapurrak, piratak eta kortsarioak

Krisi ekonomikoak oso maiz gertatu ziren XVII. mendean zehar. Eta horrek bidelapurrak eta piratak ere ugari zituen.

- **Bidelapurrak** dena galdutako nekazariak edo nobleak izan ohi ziren. Bideetan egoten ziren ezkutatuta, aberatsei dirua lapurtzeko zain.
- **Piratek** Amerikatik karga-karga eginda etortzen ziren itsasontziei egiten zieten eraso. Haien artean mota askotakoak zeuden, adibidez, kortsarioak. Azken hauek beren gobernuaren baimena zuten ontzi atzerritarren kontra aritzeko.

Atzera begira — Aro Modernoa. Pentsamolde berriak

Aro Modernoan zehar, hainbat joera kulturalek guztiz aldatu zituzten mende askoan mugiezinik zeuden ideiak.

Gatazka erlijiosoak

Erreforma **protestantea** joera erlijiosoa izan zen, Eliza katolikoa berritzen saiatu zena.

Martin Luther eta **Jean Calvin** izan ziren buruak.

Erreformaren aurka, Elizak Kontrarreforma jarri zuen martxan bere pribilegioak babesteko, eta bi bloke erlijioso handitan banatu zen Europa: **protestantea** eta **katolikoa.**

Martin Lutherren ustez, aita santuaren gorteak ez zuen benetako fedearekin bat egiten, diruzalekeriarekin eta luxuarekin baizik.

Iraultza zientifikoa

Aro Modernoan kolokan jarri ziren Elizak babesten zituen hainbat "egia". Aldaketa horretan berebiziko garrantzia izan zuen **metodo zientifikoak, arrazoian** eta **esperimentazioan** oinarri hartzen zuenak. Hona hemen metodoaren urratsak:

1. Behaketa.
2. Hipotesia formulatzea.
3. Esperimentazioa.
4. Ondorioak ateratzea.
5. Tesia lantzea.

Lurra Eguzkiaren inguruan biraka ari zela ondorioztatu zuen Galileok metodo zientifikoari esker. Teoria horrek erabat ezeztatzen zituen Elizaren esanak, Lurra unibertsoaren erdigunetzat zutenak.

Ilustrazioa eta despotismo ilustratua

- **Ilustrazioa.** Mundua ulertzeko tresna nagusia **arrazoia** da, baita pentsamenduaren eta irakaskuntzaren funtsa ere. Ilustrazioak **norbere askatasuna** eta **eskubide-berdintasuna** defendatzen zituen. Haren jarraitzaileen iritziz, erlijioa eta irakaskuntza banatu behar ziren bata bestetik.
- **Despotismo ilustratua.** Gobernatzeko modu absolutista, jende xehearen bizitzan onurak ekarri zituena Ilustrazioaren eraginez.

Atzera begira — Errenazimentua eta Barrokoa

Aro Modernoan bi joera artistiko handi azpimarratu behar ditugu: Errenazimentua (XV - XVI) eta Barrokoa (XVII - XVIII).

Errenazimentua

Joera kultural eta artistiko garrantzitsua dugu **Errenazimentua,** Erdi Aroko tradizioa alde batera utzi eta antzinaroko ideal estetikoei heldu ziena. Izan ere, Grezian eta Erroman bezala, Errenazimentuak giza gorputza hartu zuen edertasunaren eta harmoniaren eredutzat.

Italian du jatorria. Han jaio ziren artistarik inportanteenak.

- **Arkitekturaren** ezaugarriak hauek dira:
  - — **Antzinate klasikoko** eraikinen elementuak: **zutabeak, erdi puntuko arkua, kupula...**
  - — Simetria erabiltzen da proportzionaltasuna eta oreka eskuratzeko.
- **Eskulturaren** eta **pinturaren** ezaugarriak hauek dira:
  - — Ahalik eta modu perfektuenean irudikatzen da **giza gorputza.**
  - — Gai **mitologikoak** edo **erlijiosoak.**
  - — **Proportzio idealak** bilatu nahi dituzte.
  - — **Perspektiba** eta konposizioa menperatu nahi dituzte. Konposizioak orekatua izan behar du beti.
  - — **Kolorearekiko** eta **argiarekiko** interesa, biak baitatoz natura ikertzeko grinatik.

J. de Herrera, *San Lorenzo de El Escorial Monasterioa* (Madril).

Pietatea, Michelangelo.

Venusen jaiotza, Sandro Botticelli.

Artista aipagarriak:

- Pedro Machuca, Juan de Herrera eta Alonso de Covarrubias arkitektoak.
- Juan de Juni eta Alonso Berruguete eskultoreak.
- Alonso Sánchez Coello, Juan Pantoja de la Cruz eta Greco margolariak.

Barrokoa

Kontrarreformarekin eta Eliza katolikoarekin lotutako estiloa da **Barrokoa.** Horregatik, gai erlijiosoak eta mitologikoak ageri dira batik bat, baita Elizaren eta monarkiaren aldarrikapena ere.

- **Arkitekturaren** ezaugarriak hauek dira:
  - — **Monumentaltasuna,** monarkia eta Eliza goraipatzeko.
  - — **Marra okerren** ugaritasuna.
  - — **Dekorazio oso kargatua.**
- **Eskulturaren** ezaugarriak hauek dira:
  - — **Mugimendua,** errealismoa sentiarazteko.
  - — Figuren **adierazkortasuna.**

  Keinuen eta jarrera bortxatuen bidez lortu nahi zituzten maiz elementu horiek.
- **Pinturaren** ezaugarriak hauek dira:
  - — **Argien** eta **itzalen** erabilera eta banaketa, dramatismoa eragiteko.

Vatikanoko San Pedro plaza, Gian Lorenzo Bernini.

Meninak, Diego Velázquez.

Santa Teresaren estasia, Gian Lorenzo Bernini.

Vatikanoko San Pedroko baldakinoa, Gian Lorenzo Bernini.

Hona hemen Espainian nabarmendu ziren artistak:

- Pedro de Ribera eta Alberto Churriguera arkitektoak.
- Juan Martínez Montañés, Alonso Cano eta Francisco Salzillo eskultoreak.
- Zurbarán, Bartolomé Esteban Murillo eta Diego Velázquez margolariak.

Kultura espainiarrak garai bikaina izan zuen literaturan eta artean, eta **Urrezko mendea** deitzen diogu etapa horri. Errenazimentuan eta Barrokoan zehar egile handiak ditugu, esaterako, Miguel de Cervantes, Lope de Vega, Francisco de Quevedo edo Luis de Góngora.

Atzera begira

Eguneroko bizitza Aro Modernoan

Merkataritzari esker, asko handitu ziren hiriak. Merkatariak hirietan edo **burguetan** bizi zirenez, burges izena jasotzen zuten.

Erregeak eta beren familiak jauregi miresgarrietan bizi ziren, lorategi apartekin. Haiekin batera egoten ziren **gortearen** ordezkariak, erregeari gobernatzen laguntzen ziotenak.

Burgesek nobleen luxua imitatu nahi izaten zuten, janzkeratik hasita. Aberatsen arropetan **zeta** zen gehien erabiltzen zen materiala.
Baina garai hartan objektu bat gailendu zen: **ileordea.**

Aurrerapen teknikoen eskutik, oso ontzi gogorrak eraiki ziren. Hasteko, **karabelak** eta **nao** bat erabilita iritsi zen Kolon Amerikara. Jarraian **galeoiak** eta **bergantinak** nagusitu ziren. Xumeagoak eta arinagoak ziren bi mota horiek, eta piratentzat gustukoenak ere bai.
Lurrean barrena bidaiatzeko, **gurdiak** edo **mandoak** baliatzen zituen jendeak.
Arriskutsua izan ohi zen lurreko bidaia, bidelapurrak sarritan egoten baitziren merkatarien konboien zain.

Artisauak **gremiotan** biltzen ziren, hau da, haien interesak babesten zituzten elkartetan. **Lantegi** edo tailerretan aritzen ziren lanean, etxeetako beheko solairuan..
Noble gehienak **gaztelua** utzi eta hirietara egin zuten. **Jauregietan** bizi ziren, eta bertan antolatzen zituzten festak, dantzaldiak, poesia-saioak, etab.

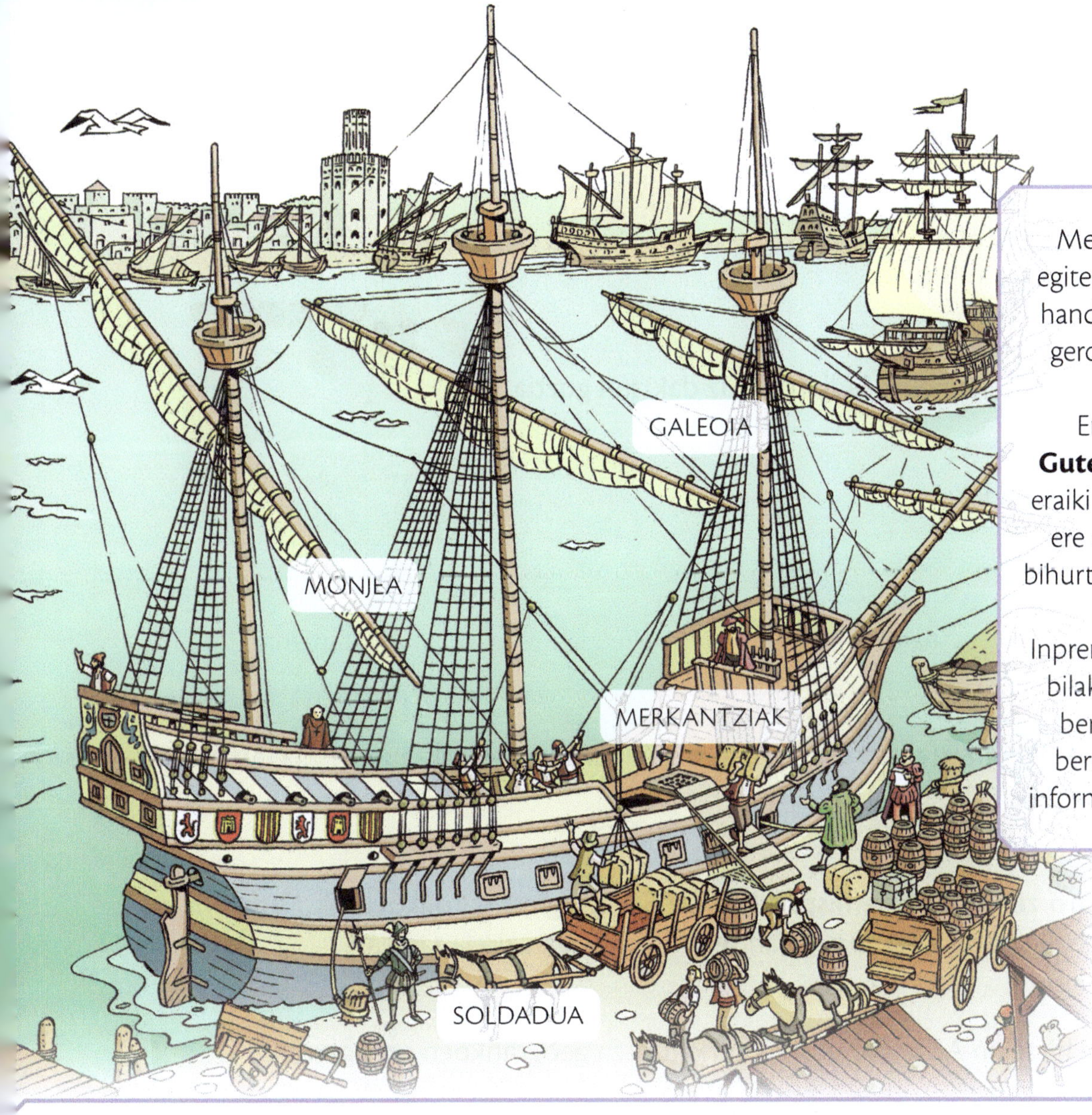

Mende luzetan zehar, eskuz egiten ziren liburuak. Eta, kostu handiko prozesua izaten zenez gero, liburu gutxi ikusten zen bazterretan.
Erdi Aroaren amaieratik, **Gutenbergek** lehen **inprenta** eraiki zuenetik hain zuzen, askoz ere errazagoa eta merkeagoa bihurtu zen liburu bat idaztea eta ale ugari plazaratzea.
Inprenta ezinbesteko elementua bilakatu zen jakintza eta ideia berriak hedatzeko, izan ere, berehala eramaten baitzuen informazioa leku batetik bestera.

Oinarrizko elikagaia **lekaleak** ziren oraindik, eta okela ez zegoen pobreenen eskura.
Bide komertzial berriei esker, ezagutu gabeko elikagaiak heldu ziren Europara, tartean, **artoa, tomatea, patata** edo **kakaoa.** Izugarri garestiak ziren orduan, elikagai exotikoak baitziren.

Jarduerak

1. Zergatik erori zen Erromatar inperioa? Nondik zetozen erromatarren lurraldea inbaditu zuten herri germaniarrak?

2. Noiz iritsi ziren islamiarrak Iberiar penintsulara? Nondik zetozen? Zer aurrerapen zientifiko garatu ziren Iberiar penintsulan?

3. Zer erreinu hedatu ziren hegoalderantz XI. mendetik aurrera?

4. Nola zuen izena Erdi Aroko sistema sozial, ekonomiko eta politikoak? Azaldu zer ziren estamentu sozialak.

5. Azaldu zure hitzekin eskuineko irudiari buruz dakizun guztia.

6. Definitu kontzeptu hauek:

basailua	hamarrena	feudoa	estamentua

7. Egin Aro Modernoko gizartearen eskema. Zer estamentuk osatzen zuten? Zertan aritzen zen bakoitza?

8. Azaldu nola igaro zen monarkia hispanikoa Errege-erregina Katolikoetatik Karlos III.aren despotismo ilustratura. Kontuan izan sei monarka izan zirela tartean.

9. Laburbildu zure hitzekin Aro Modernoko aurkikuntza geografikoen ezaugarriak.

10. Zein izan zen Johannes Guttembergen asmakuntza handia? Zertarako balio zuen?

11. Zer zen Ilustrazioa? Zer babesten zuen? Eta despotismo ilustratua?

12. Erreparatu irudiei eta erantzun galderak jarraian.

- Nola du izena eliza horietako bakoitzaren estiloak?
- Konparatu bien elementuak: arkuen forma, hormak, leihoak.
- Zer sentiarazten dizu bakoitzak? Zer xehetasun dira deigarrienak zure ustez?

13. Hona hemen Michelangelo eskultorearen artelan famatuenetako bat. Jarraitu urratsak hura aztertzeko.

a. Badakizu zer pertsonaia irudikatzen duen?
b. Zer lantzen da eskulturan? Objektu bat, pertsona bat?
c. Ikertu eta gauzatu taula bat datu hauekin:
   - Izenburua
   - Egilea
   - Materiala
   - Non dagoen
   - Zer irudikatzen du?
   - Gaia (erlijiosoa, historikoa, mitologikoa...)
   - Deskribapena

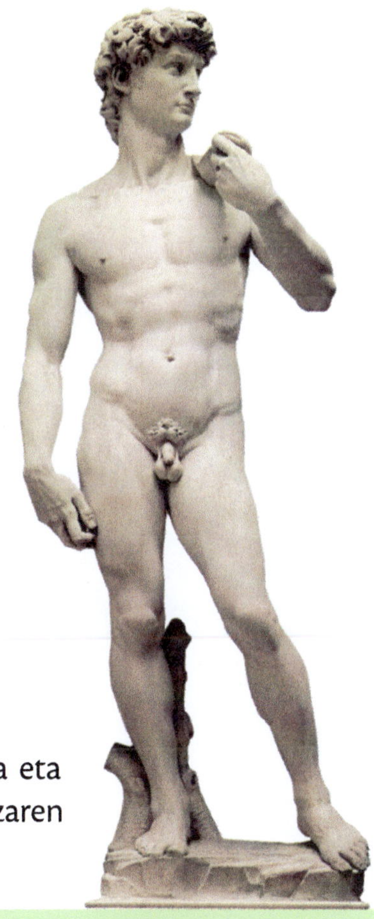

14. Azaldu zer den Urrezko mendea; eta azalpenean aipatu...

- Non garatu zen?
- Zer mendetan?
- Zein izan ziren artistarik garrantzitsuenak?
- Eman pertsonaia esanguratsu baten adibidea.

15. Marraztu denbora-lerro bat, landu dituzun bi etapen hasiera eta amaiera irudikatuko dituena. Lerroan, gutxienez, etapa bakoitzaren hiru gertakari islatu behar dituzu.

Ura nola aprobetxatu

Uraren erabilera arduratsua sustatzeko **zerbitzu-ikasketako** proiektu bat

ERRONKA

Arazoa antzeman

1. Lauko taldetan, adi irudi hauei. Konturatu zarete ura beti agertzen dela zuen eguneroko bizitzan, jardueretan, aisialdian...?

Ura eta higienea

Ura eta aisia

Ura eta erosotasunak

Ura eta elikadura

2. Aplikatu *Ikusi – Pentsatu – Galdetu* **pentsamendu-errutina.** Nork bere taula egin behar du. Hementxe daukazue eredua:

Ikusi	Pentsatu	Galdetu
Zer ikusten duzu irudietan?	Zer datorkizu burura irudi horiek ikustean?	Zer galdera egiten dizkiozu zure buruari ondoren?
...	...	...

Ur-kantitate handia erabiltzen dugu, ezinbestekoa baita gure bizitzarako eta ongizaterako.

Konponbideak bilatu

3. Aipatu ikaskideei banaka egin dituzuen galderak.

4. Gaia eztabaidatu eta gero, pentsatu zer egin dezakezuen zuek sortu den arazoa konpontzeko.

— Egin ideia-zaparrada bat eta bota konponbideak. Hemen adibide bat daukazue, baina beste aukeraren bat egin dezakezue.

URA MODU ARDURATSUAN ERABILTZEKO KANPAINA EGITEKO, INFORMAZIO-KARTEL BAT GAUZATU URARI ETA ZUEN ERKIDEGOKO APROBETXAMENDUARI BURUZ

Bi kontu erabaki beharko dituzue horretarako.

— **Informazio-kartelaren** ezaugarriak (zer informazio ekariko duen, marrazkiak edo argazkiak edukiko dituen, etab.)

— **Iragarki-kanpainaren** ezaugarriak (kartelak, sare sozialetako mezuak, liburuxkak, mintzaldiak eta mahai-inguruak, etab.).

IKERTU

Zer dakigu?

Ura naturan

5. Pentsatu zuen autonomia-erkidegoan dagoen uraren gainean. Adierazi zein diren hura hobeto zehazten duten esaldiak

Zuen erkidegoan...

- Ur falta dago.
- Euri asko egiten du.
- Ez dago ibairik.
- Ibaiak emaritsuak dira.
- Ibaiek gainezka egiten dute euri-jasa handiekin.
- Ura lur azpian mugitzen da.
- Sakanak daude.

6. Ibai hauetatik, bada zuen erkidegotik igarotzen denik? Zein? Idatzi.

Miño	Guadalquivir	Nerbioi	Navia	Irati	Oria
Zadorra	Ebro	Pisuerga	Ibaizabal	Zújar	Turia
Duero	Júcar	Aturri	Jalón	Deba	Segre
Tajo	Segura	Ulla	Arga	Zidakos	Bidasoa
Guadiana	Oka	Urola	Sil	Ega	Gállego

Uraren erabilerak

7. Badakizue aintzirarik edo urtegirik baden zuen herritik gertu? Eta zuen autonomia-erkidegoan?

— Idatzi zertarako erabiltzen den urtegietako ura.

8. Begiratu soro hauek ureztatzeko moduari. Erabiltzen dira zure erkidegoan? Zeintzuk?

aspertsioa

tanta-jarioa

uholdea

9. Definitu kontzeptu hauek: akuiferoa, ur-araztegia, gatzgabetzeko instalazioa.

Zer jakin nahi dugu?

BEGIRATU MAPEI!

Naturako urari buruz

- Zer ibai, erreka edo sakan daude zuen autonomia-erkidegoan. Zer izen dute? Nondik pasatzen dira?
- Begiratu ea baden lur azpiko ur-erreserbarik, ea ustiatzen diren eta zer modutan.
- Osatu laburpen-fitxak.

Autonomia erkidegoa: EAE

Ibai nagusia: Nerbioi

Kokalekua: Kuartango udalerrian du sorburua, Araban. Urduña, Amurrio eta Laudiotik igarota, besteak beste, Bizkaian sartzen da. Han, Ibaizabal ibaian isurtzen ditu urak, Basaurin.

Ustiapena eta berezitasunak: Ura ekartzen die bere igarobidean dauden herriei. Esaterako, soroak ureztatzeko erabiltzen dira haren urak. Iberiar penintsulako ur-jauzirik handiena sortzen du, Delika herrian.

Uraren tratamenduari buruz

Ur-araztegiak

- Ikertu hondakin-uren araztegi baten funtzionamendua nolakoa den: nondik datorkion ura, zer tratamendu gauzatzen duen eta zertarako erabiltzen den gero.
- Kokatu mapa batean zuen autonomia-erkidegoko araztegi garrantzitsuenak.

Ura gatzgabetzea

- Aztertu nola funtzionatzen duen gatzgabetze-instalazio batek: nondik jasotzen du ur gazia, zer tratamendu gauzatzen duen eta zertarako erabiltzen den ur gatzgabetua.
- Bilatu ea zuen autonomiaerkidegoan baden gatzgabetze-instalaziorik eta kokatu mapa batean.

BEGIRATU MAPEI!

LORTU ARGAZKIAK!

Erabilpenei buruz

- Bilatu ea urtegirik baden eta zertarako erabiltzen diren: etxerako, elektrizitatea lortzeko...
- Kokatu mapan.

Ondasun urriei buruz

- Bilatu ea baden planik ura aurreztu eta hobeto ustiatzeko.
- Ikertu nola banatzen den ura.

Nola ikertuko dugu?

Behar duzuen informazioa lortzeko, iturri pila daukazue eskura.

Jendeari elkarrizketak egin

Pertsona hauek informazio baliagarria daukate:

- Gurasoak.
- Irakasleak.
- Ikaskide nagusiagoak.
- Nekazariak, gatzgabetzeko instalazioetako langileak, araztegiko langileak, zentral elektrikoetakoak..

Liburuak eta entziklopediak

Non topatu:

- Etxean.
- Ikasgelan.
- Eskolako liburutegian.
- Uda-liburutegian.

Internet

- Bilatzaileak: gako hitzak erabili behar dituzue.

INTERNETEN BARRENA BETI GURASOEKIN BATERA NABIGATU

Idatzi informazio guztia eta gorde dokumentazio grafikoarekin batera (argazkiak, eskemak, mapak...).

SORTU

Bi elementu landu behar ditugu: alde batetik, iragarki-kanpaina egin behar dugu, eta, beste alde batetik, kanpaina hedatzeko sistema garatu. Bana ezazue lana zuen trebezien eta zaletasunen arabera.

Informazio-kartela

Zuek jasotako datuekin, fitxekin, argazkiekin, mapekin... prest zaudete jadanik urari buruzko kartelari ekiteko!

10. Prestatu materiala: kartulina, errotuladoreak, kola, guraizeak.

11. Marraztu zuen erkidegoko mapa kartulina batean. Adierazi puntu kardinalak.

- Marraztu ibai nagusien bideak, eta idatzi haien izenak.
- Sakanik bada, marraztu haiek ere.
- Erabili sinbolo bat lur azpiko urak non dauden adierazteko.
- Markatu puntu gorri batekin ibai horiek zeharkatzen dituzten hiririk garrantzitsuenak. Idatzi haien izenak.
- Erabili sinbolo bat urtegi eta zentral hidroelektriko nagusiak markatzeko, baita araztegiak eta gatzgabetze-instalazioak markatzeko. Eredu hauek erabil ditzakezue:

- Moztu argazkiak eta eskemak eta itsatsi kartelean.
- Idatzi azalpen-esaldi bana argazki bakoitzaren azpian.
- Gorde karteleko tarte bat irudien bidez hauxe azaltzeko: ura ondasun preziatua da, eta ezin dugu xahutu.

12. Behin kartela burututa, bilatu izenburua, edukia egokien islatzen duena.

Iragarki-kanpaina

13. Egin kanpaina hedatzeko zereginen plangintza.

- Non eskegiko duzue kartela? Pasabideren bat izan behar du, jende askok ikus dezan.
- Nork zintzilikatuko du? Agian heldu baten laguntza beharko duzue.
- Zer sistema erabiliko duzue zintzilikatzeko? (Saiatu hormak ez hondatzen).

AURKEZTU ETA EBALUATU

14. Aukeratu egun bat, kartela zintzilikatzeko eta zuen kanpaina ezagutzera emateko.

Aurkezteko aholkuak

Aurkezpenaren aurretik

1. Prestatu ongi aurkezpena: ikasi gaia, zalantzarik edo okerrik ez izateko.
2. Praktikatu etxean: familiaren aurrean, ispiluaren aurrean...
3. kalkulatu denbora: kronometratu etxean aurkezteko daukazuen deborarekin bat egiten duzuela ziurtatzeko.

Aurkezpenean zehar

4. Jarraitu ordena: adibidez, sarrera, korapiloa eta amaiera. Lasaiago egoten eta aurkezpenean ez galtzen lagunduko dizue ordenak.
5. Begiratu pertsonei begietara. Horrela lortuko duzue haien arreta, eta, pixkanaka-pixkanaka, lasaitu eta seguruago hitz egingo duzue.

Aurkezpenaren ondoren

6. Galdetu ea zalantzarik baden. Ziurtatu aurkezpena ulertu dutela.
7. Eskertu haien arreta zuen materiala jasotzen duzuen bitartean.

15. Egin gogoeta zuen lanari buruz. Ebaluatu eta osatu taula.

	Ezer ez	Gutxi	Dezente	Asko
Axola zitzaidan urari buruzko lana?				
Ezagutzen nituen nire autonomia-erkidegoko urarekin lotutako elementuak?				
Zer nekien ura arazteari eta gatzgabetzeari buruz?				
Kostatu zait informazioa bilatzea?				
Lortu ditut ibaien, aintziren, urtegien, araztegien... argazkiak?				
Kostatu zait kartela egitea?				
Gauza berririk ikasi dut proiektuari esker?				

Zorionak, amaitu duzu erronka!

JAKINGAIEN PROGRAMAZIOA

1 Zertan dira antzekoak izaki bizidun guztiak?

- Izaki bizidunak eta haien sailkapena.
- Zelula.
- Bizi-funtzioak.
- Mikroskopioa nola erabili.

2 Zergatik ditu zuloak ogi-mamiak?

- Metodo zientifikoa.
- Mikroorganismoak.

3 Nola koordinatzen dira gure zentzumenak bizikletan ibiltzen garenean?

- Erlazio-funtzioa.
- Nerbio-sistema.
- Nerbio-sistema nola zaindu.

4 Nola mugitzen gara?

- Esku robotiko bat egitea.
- Lokomozio-aparatua.
- Lokomozio-aparatua nola zaindu.

5 Nola bihurtzen dira elikagaiak mantenugai?

- Pertsonen nutrizioa.
- Elikagaien eta mantenugaien arteko aldea.
- Digestio-prozesua.

6 Zergatik diogu kaloriak «erre» egiten direla?

- Mantenugaien bidez energia lortzea.
- Arnas aparatua.
- Birika artifizial bat egitea.

7 Zergatik behar dute muskuluek odol gehiago kirola egiten dugunean?

- Zirkulazio-aparatua.
- Taupadak nola neurtu.

8 Zergatik behar dugu ur asko kirola egiten dugunean?

- Iraitz-sistema.
- Gernu-aparatua.

9 Elikagai batzuk besteak baino osasungarriagoak dira?

- Elikadura osasungarria.

ENTRENATU

Bakarkako proba-eredua, entrenatzeko, errepasatzeko eta landutako konpetentziak finkatzeko.

11 Nola eratzen dira mendiak?

- Erliebearen formak.
- Munduko erliebeak.
- Lurraren atalak.
- Erliebearen eraketa eta modelajea.

12 Nondik dator ibaietako ura?

- Ura Lurrean.
- Uraren zikloa eta uraren egoera-aldaketak.
- Ibaiak.
- Kostaldearen gorabeherak.
- Munduko hidrografia.

13 Nora joango da Aneren ama hurrengo bidaian?

- Eguraldia eta klima.
- Klimaren elementuak.
- Klima-faktoreak.
- Lurreko klimak.

14 Nolakoa da Europako kosta?

- Europako kostaldea.
- Europako ibaiak.
- Europako klimak.
- Mapen eskala.

15 Nora joango zinateke neguko kirolak egitera?

- Gure inguruko erliebea.
- Gure inguruko kostaldea.
- Gure inguruko ibaiak.

16 Nork irabaziko du Tourra?

- Europako erliebea.
- Europako paisaiak.
- Profil topografikoa.

17 Zein da paisaiarik ederrena?

- Gure lurraldea.
- Gure lurraldeko klima.
- Gure lurraldeko landaredia.

18 Non dago espezieen aniztasunik handiena?

- Biosfera.
- Ekosistemak.
- Biziaren aniztasuna.
- Gako dikotonimoak nola erabili.

19 Perretxiko pozoitsuak errazago ikusten dira?

- Izaki bizidunen moldaerak.
- Ilzaki bizidunen arteko harremanak.

ENTRENATU

Bakarkako proba-eredua, entrenatzeko, errepasatzeko eta landutako konpetentziak finkatzeko.

21 Zer egingo zenuke norbaitek konortea galduko balu?

- Larrialdietan zer egin behar den.
- Arriskuak nola prebenitu.
- Lehen laguntza.

22 Non egoten da eguzkia gauez?

- Lurra eta haren higidurak.
- Unibertsoko astroak.
- Eguzki-sistema.

23 Zergatik ez dugu ilargia beti berdin ikusten?

- Ilargiaren higidurak.
- Ilargiaren faseak.
- Eklipseak.
- Ilargira iristea.

24 Zer egin dezakezu planetaren alde?

- Ingurunetik baliabideak lortzea.
- Ondorio kaltegarriak ingurunean.
- Ingurumen-arriskuak.
- Ingurumena zaintzea.

25 Zerekin egiten da historia?

- Urteak, mendeak eta milurtekoak.
- Iturri historikoak.
- Historia aztertzeko diziplinak.
- Historiaren aroak.

26 Nolakoa zen gazteluen garaia?

- Erdi Aroa.
- Erdi Aroko gizartea.
- Erdi Aroaren urrezko aroa eta krisialdia.
- Erdi Aroko artea.

27 Ausartuko zinateke gidari-lanak egiten zure udalerriko Erdi Aroari buruz?

- Hispania bisigodoa.
- Al-Andalus.
- Erreinu kristauak.

28 Noiztik jaten dugu patata-tortilla?

- Aurkikuntza geografikoak.
- Pentsatzeko modu berriak.
- Aro Modernoko artea.

29 Piratak benetan existitu ziren?

- Monarkia hispanikoa.
- Monarkia absolutuak.
- Aro Modernoko gizartea.

ENTRENATU

Bakarkako proba-eredua, entrenatzeko, errepasatzeko eta landutako konpetentziak finkatzeko.

IKZ proiektua

Urari eta ura aprobetxatzeari buruzko proiektua.

Ura gure inguruan. Uraren erabilera arduratsua.